어린이를 위한 명심보감 따라쓰기

HRS 학습센터 기획 · 엮음

루돌프

명심보감은 어떤 책일까?

《명심보감》은 중국 명나라 사람 범립본이 학자, 정치가, 왕들이 남긴 훌륭한 말씀을 모아 엮은 책입니다. 고려시대 추적이 이 책에서 좋은 내용을 골라서 다시 엮었고, 그 책이 우리나라에 널리 퍼졌지요. 《명심보감》은 원래 19편으로 구성되었는데 나중에 이름이 알려지지 않은 학자가 5편을 더해서 모두 24편으로 구성되었다고 해요.

《명심보감》은 부모님께는 어떻게 효도해야 하는지, 무엇을 하면 몸과 마음을 갈고닦을 수 있는지, 공부를 게을리하면 어떻게 되는지, 말은 왜 함부로 하면 안 되는지, 어떤 친구와 어떻게 사귀어야 하는지 등 사람이 살아가는 데 필요한 가장 기본적인 가르침을 담은 책입니다. 그래서 400여 년 전에는 천자문을 막 뗀 아이들이 서당에서 읽던 교과서였어요.

그런데 왜 그 옛날 책을 지금 여러분이 읽어야 할까요?

옛날이나 지금이나 인간의 도리는 같기 때문입니다. 인간은 태어나면

서부터 부모님, 형제자매와 관계를 맺고 이후 자라면서 수많은 사람을 만나서 새로운 관계를 맺지요.《명심보감》은 사람들과 관계를 맺을 때 어떻게 행동해야 하는지 알려주어서 예의 바르고 능력 있는 사람으로 성장하게 합니다. 그래서 이 책은 어릴 때 읽어도 좋고, 어른이 되어 인간관계에 어려움을 느낄 때 다시 읽어도 좋지요.

《명심보감》은 마음을 밝게 하는 보배로운 거울이라는 뜻입니다. 한 번 읽으면 무슨 뜻인지 몰라도 매일 거울을 보듯 여러 번 읽으면 반짝이는 거울처럼 여러분의 마음이 환해질 거예요. 여러분도《명심보감》을 입과 눈으로 읽고 손으로 따라 쓰면서 몸과 마음을 깨끗하게 닦아 보세요.

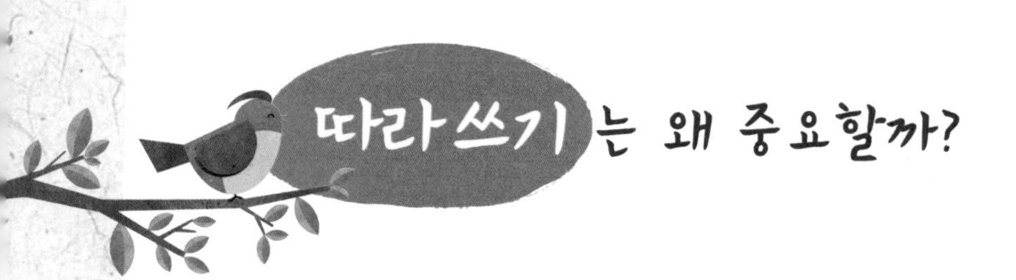

따라쓰기는 왜 중요할까?

따라쓰기, 베껴쓰기는 '필사'라고도 해요. 필사의 역사는 매우 오래되었답니다. 오래 전에는 책을 만들려면 필사를 해야 했어요. 책 한 권을 두고 여러 사람이 베껴 써서 다른 한 권의 책을 만들었으니까요.

하지만 최근에는 필사를 하는 이유가 책을 만들기 위해서는 아니에요. 그렇다면 왜 책을 베껴 쓰는 것일까요? 그것은 몇 가지 이유가 있답니다.

첫 번째로, 책을 따라 쓰면 그 책의 내용을 자세히 그리고 정확히 알 수 있어요.

요즘처럼 컴퓨터 키보드로 입력하거나 눈으로 후루룩 읽으면 그 당시에는 다 아는 것 같아도 금방 잊혀지고 말아요. 그러나 책의 내용을 눈으로 보면서 손으로는 따라 쓰고, 입으로는 소리 내어 읽으면 책의 내용을 훨씬 더 자세히 익힐 수 있어요. 작가가 어떤 이유로, 어떤 마음으로 책을 썼는지 파악할 수 있는 힘도 기를 수 있지요. 그러니까 책을 따라 쓴다는 것은 꼼꼼히 읽는 또 다른 방법이라고 할 수 있어요.

두 번째로, 책을 따라 쓰면 손끝을 자극하기 때문에 뇌 발달에 도움이 되어요.

손은 우리 뇌와 가장 밀접하게 연결되어 있어요. 손을 많이 움직이고, 정교하게 움직이면 뇌에 자극을 주기 때문에 뇌의 운동이 활발해지지요. 글을 쓰는 것은 손을 가장 잘 움직일 수 있는 방법 가운데 하나예요. 그렇기 때문에 따라쓰기를 통해 뇌의 근육을 키워 머리가 좋아질 수 있지요.

세 번째로, 책을 한 줄 한 줄 따라 쓰다 보면 정서를 풍부하게 해주어요.

한 자리에 앉아서 한 자, 한 자 정성 들여 옮겨 쓴다는 것은 절대 쉬운 일이 아니에요. 특히 여러 가지 전자기기 때문에 인내심이 사라진 요즘에는 좀이 쑤시는 일일 수도 있어요. 하지만 처음에는 조금 힘들어도 따라쓰기에 재미를 붙이면 어느새 마음도 차분해지고, 감성도 풍부해지고 글을 즐길 수 있는 마음의 여유도 생긴답니다.

바로 이런 이유 때문에 지금도 필사의 중요성은 계속되고 있지요. 여러분도 이 책을 통해 따라쓰기, 베껴쓰기의 중요성과 즐거움을 알게 되었으면 좋겠네요.

자, 이제부터 지혜로운 선현의 말씀에 귀를 기울이며 따라쓰기를 시작해 보세요!

01 하루에 하나씩 함께 써 봐요!

월 일

계선편

착한 일은 아무리 작은 일이라도 꼭 하고, 나쁜 일은 아무리 작은 일이라도 절대로 해서는 안 된다.

예문을 따라 한 자 한 자 예쁘게 써 보세요.

	착	한		일	은		아	무	리		작	은		일	이
라	도		꼭		하	고	,	나	쁜		일	은		아	무
리		작	은		일	이	라	도		절	대	로		해	서
는		안		된	다	.									

직접 써 보세요.

'바늘 도둑이 소도둑 된다.'는 속담이 있지요. '이 정도는 괜찮을 거야.'라는 생각은 버리고 조금이라도 나쁜 생각은 하지 않도록 노력하세요.

勿以善小而不爲 勿以惡小而爲之
물 이 선 소 이 불 위 물 이 악 소 이 위 지

02 하루에 하나씩 함께 써 봐요!

월 일

계선편

착한 일을 보면 목마른 사람이 물을 찾듯이 하고, 나쁜 일을 들으면 귀머거리인 것처럼 하라. 또한 착한 일은 욕심을 내서 하고, 나쁜 일은 즐기지 마라.

예문을 따라 한 자 한 자 예쁘게 따라 써 보세요.

	착	한		일	을		보	면		목	마	른		사	람
이		물	을		찾	듯	이		하	고	,	나	쁜		일
을		들	으	면		귀	머	거	리	인		것	처	럼	
하	라	.	또	한		착	한		일	은		욕	심	을	
내	서		하	고	,	나	쁜		일	은		즐	기	지	
마	라	.													

직접 써 보세요.

내가 도울 수 있는 일이 없을까 주위를 잘 둘러보세요. 누군가에게 도움을 주면 갈증이 날 때 시원한 물을 마신 것처럼 기분이 좋아질 거예요.

見善如渴 聞惡如聾 善事須貪 惡事莫樂
견선여갈 문악여롱 선사수탐 악사막락

03 하루에 하나씩 함께 써 봐요!

월 일

계선편

은혜와 의리를 널리 베풀라. 사람이 살다 보면 어느 곳에서든 다시 만나지 않겠는가? 사람과 원수가 되지 마라. 좁은 길에서 만나면 서로 피해 가기 어려우니.

예문을 따라 한 자 한 자 예쁘게 써 보세요.

은혜와 의리를 널리 베풀라. 사람이 살다 보면 어느 곳에서든 다시 만나지 않겠는가? 사람과 원수가 되지 마라. 좁은 길에서 만나면 서로 피해 가기 어려우니

직접 써 보세요.

훌륭한 사람은 남에게 은혜를 베풀고 의리를 지킬 줄 압니다.
지금 여러분이 베풀 수 있는 은혜는 무엇인가요?

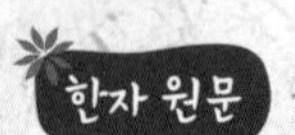

恩義廣施 人生何處不相逢 讐怨莫結 路逢狹處難回避
은의광시 인생하처불상봉 수원막결 노봉협처난회피

계선편

나에게 좋은 일을 하는 사람에게도 착하게 대하고, 나에게 나쁜 일을 하는 사람에게도 착하게 대하라. 내가 남에게 나쁘게 하지 않으면 남도 나에게 나쁘게 하지 않는다.

예문을 따라 한 자 한 자 예쁘게 써 보세요.

나에게 좋은 일을 하는 사람에게도 착하게 대하고, 나에게 나쁜 일을 하는 사람에게도 착하게 대하라. 내가 남에게 나쁘게 하지 않으면 남도 나에게 나쁘게 하지 않는다.

직접 써 보세요.

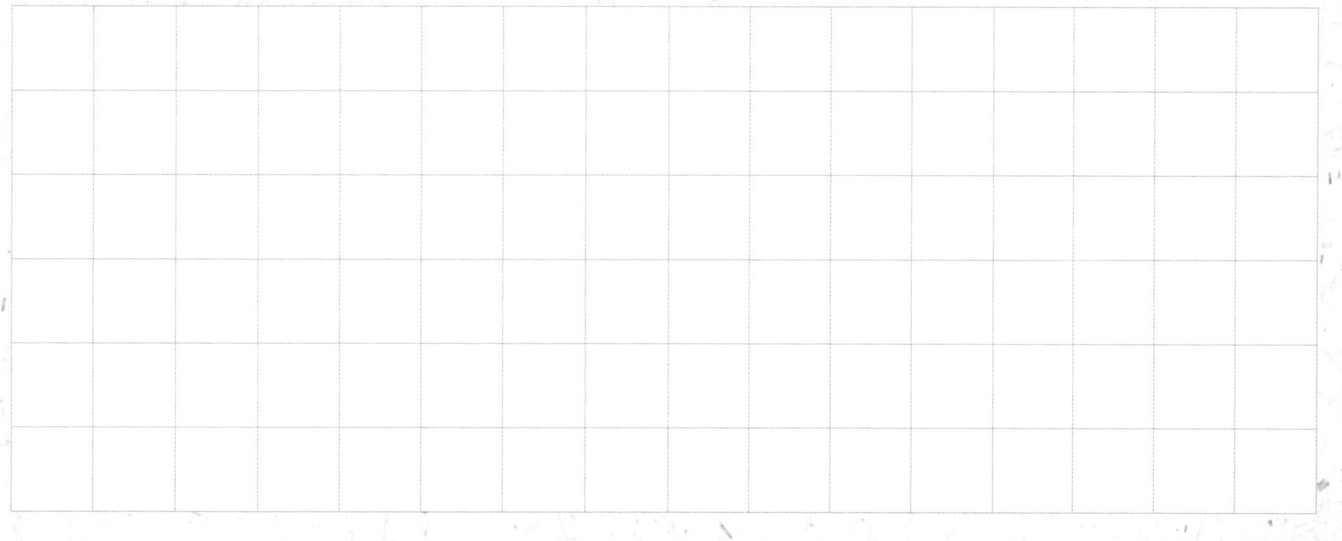

여러분에게 못되게 구는 친구에게도 잘해 주세요.
그러다 보면 어느새 그 친구가 마음을 열고 다가올 거예요.

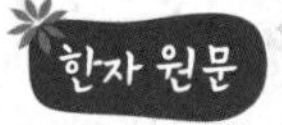

於我善者 我亦善之 於我惡者 我亦善之 我旣於人無惡 人能於我無惡哉
어아선자 아역선지 어아악자 아역선지 아기어인무악 인능어아무악재

05 하루에 하나씩 함께 써 봐요!

월 일

천명편

하늘의 뜻에 순종하는 사람은 살아남고, 하늘의 뜻을 거스르는 사람은 망한다.

예문을 따라 한 자 한 자 예쁘게 써 보세요.

	하	늘	의		뜻	에		순	종	하	는		사	람	은
살	아	남	고	,	하	늘	의		뜻	을		거	스	르	는
사	람	은			망	한	다	.							

직접 써 보세요.

모든 것을 순리에 따르지 않고 반대로 하면 되는 일이 없다는 뜻입니다.

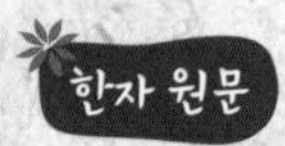

順天者 存 逆天者 亡
순 천 자 존 역 천 자 망

천명편

사람들이 속삭이는 말도 하늘에서는 천둥소리같이 크게 들리고, 어두운 방에서 자기 마음을 속여도 신의 눈에는 번개처럼 밝게 보인다.

예문을 따라 한 자 한 자 예쁘게 써 보세요.

	사	람	들	이		속	삭	이	는		말	도		하	늘
에	서	는		천	둥	소	리	같	이		크	게		들	리
고	,	어	두	운		방	에	서		자	기		마	음	을
속	여	도		신	의		눈	에	는		번	개	처	럼	
밝	게		보	인	다	.									

직접 써 보세요.

'낮말은 새가 듣고 밤말은 쥐가 듣는다.'라는 속담이 있지요?
다른 사람이 보고 듣지 않는 곳에서도 행동과 말을 조심해야 합니다.

人間私語 天聽若雷 暗室欺心 神目如電
인간사어 천청약뢰 암실기심 신목여전

07 하루에 하나씩 함께 써 봐요!

월 일

천명편

만일 사람이 악한 일을 해서 세상에 이름을 드러내면
비록 사람이 해치지 않더라도 하늘이 반드시 그를 죽일 것이다.

예문을 따라 한 자 한 자 예쁘게 써 보세요.

	만	일		사	람	이		악	한		일	을		해	서
세	상	에		이	름	을		드	러	내	면		비	록	
사	람	이		해	치	지		않	더	라	도		하	늘	이
반	드	시		그	를		죽	일		것	이	다	.		

직접 써 보세요.

중국의 사상가인 장자의 말입니다. 사람은 선한 일로 높은 덕을 쌓아
세상에 자기 이름을 알려야 한답니다.

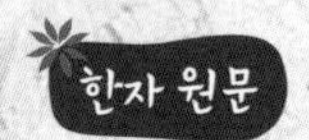

若人作不善 得顯名者 人雖不害 天必戮之
약인작불선 득현명자 인수불해 천필륙지

천명편

오이를 심으면 오이를 얻고, 콩을 심으면 콩을 얻는다. 하늘의 그물은 넓고도 넓어 보이지 않으나 새는 법이 없다.

예문을 따라 한 자 한 자 예쁘게 써 보세요.

직접 써 보세요.

사람은 자기가 한 일만큼만 대가를 받게 된다는 이치를 말하고 있습니다. 조금 노력하고 원하는 대로 되지 않는다고 투덜대면 안 되겠지요? 하늘은 다 알고 있답니다.

種瓜得瓜 種豆得豆 天網恢恢 疎而不漏
종 과 득 과 종 두 득 두 천 망 회 회 소 이 불 루

09 하루에 하나씩 함께 써 봐요!

월 일

순명편 사람이 죽고 사는 것은 명에 달렸고, 부유하고 귀하게 되는 것은 하늘에 달렸다.

 예문을 따라 한 자 한 자 예쁘게 써 보세요.

직접 써 보세요.

온 힘을 다하여 노력한 뒤에는 나머지는 하늘에 맡겨야 한다는 뜻입니다.
지나친 욕심을 부리면 그 피해가 결국 자기에게 돌아온다는 사실을 잊지 마세요.

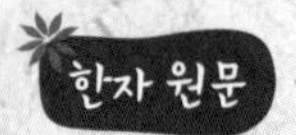

死生 有命 富貴 在天
사생 유명 부귀 재천

10 하루에 하나씩 함께 써 봐요!

월 일

순명편

다가오는 화는 어떤 요행으로도 피할 수 없고, 놓친 복은 두 번 다시 구할 수 없다.

예문을 따라 한 자 한 자 예쁘게 써 보세요.

다가오는 화는 어떤 요행으로도 피할 수 없고, 놓친 복은 두 번 다시 구할 수 없다.

직접 써 보세요.

자신에게 온 기회를 놓치지 말라는 뜻입니다.
여러분도 자신에게 온 기회를 잘 잡을 수 있게 열심히 공부하세요.

禍 不可倖免 福 不可再求
화 불가행면 복 불가재구

11

하루에 하나씩 함께 써 봐요!

월 일

순명편

어리석고 귀먹고 벙어리라도 큰 부자일 수 있고, 지혜롭고 총명한 사람이어도 가난할 수 있다. 따져 보면 부귀는 명에 달린 것이지 사람에게 달려 있지 않다.

예문을 따라 한 자 한 자 예쁘게 써 보세요.

	어	리	석	고		귀	먹	고		벙	어	리	라	도	
큰		부	자	일		수		있	고	,	지	혜	롭	고	
총	명	한		사	람	이	어	도		가	난	할		수	
있	다	.	따	져		보	면		부	귀	는		명	에	
달	린		것	이	지		사	람	에	게		달	려		있
지		않	다	.											

직접 써 보세요.

생각해 볼까요? 사람의 부귀는 정해진 운명이지 그 사람의 외모나 지혜와는 상관없다는 뜻입니다.

한자 원문 癡聾痞啞 家豪富 智慧聰明 却受貧 算來 由命 不由人
치롱음아 가호부 지혜총명 각수빈 산래 유명 불유인

12 하루에 하나씩 함께 써 봐요!

효행편

아버지 나를 낳으시고 어머니 나를 기르셨다. 그 은혜를 갚으려고 해도 높고 높은 하늘처럼 끝이 없구나.

예문을 따라 한 자 한 자 예쁘게 써 보세요.

아버지 나를 낳으시고 어머니 나를 기르셨다. 그 은혜를 갚으려고 해도 높고 높은 하늘처럼 끝이 없구나.

직접 써 보세요.

여러분은 부모님의 은혜에 감사하며 지내고 있나요?
오늘은 부모님의 등을 주물러 드리며 감사의 마음을 전해 보세요.

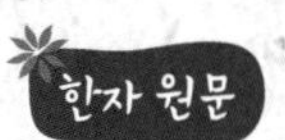

父兮生我 母兮鞠我 欲報之德 昊天罔極
부 혜 생 아 모 혜 국 아 욕 보 지 덕 호 천 망 극

13 하루에 하나씩 함께 써 봐요!

월 일

효행편

기거하실 때는 공경하고, 봉양할 때는 즐겁게 해 드리고, 병드셨을 때는 근심하고, 돌아가셨을 때는 슬퍼하며, 제사 지낼 때는 엄숙하게 한다.

예문을 따라 한 자 한 자 예쁘게 써 보세요.

직접 써 보세요.

효자가 부모님을 섬기는 방법을 설명하는 글입니다.
부모님을 대할 때 그대로 할 수 있게 노력해 보세요.

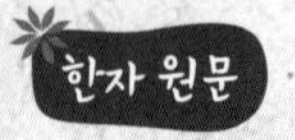

居則致其敬 養則致其樂 病則致其憂 喪則致其哀 祭則致其嚴
거즉치기경 양즉치기락 병즉치기우 상즉치기애 제즉치기엄

효행편

부모님이 살아 계시면 멀리 나가 놀지 말고, 놀러 가면 어디에 가는지 꼭 알려야 한다.

예문을 따라 한 자 한 자 예쁘게 써 보세요.

부모님이 살아 계시면 멀리 나가 놀지 말고, 놀러 가면 어디에 가는지 꼭 알려야 한다.

직접 써 보세요.

부모님은 자녀가 옆에 없으면 무슨 일이 생기지 않았는지 걱정하신답니다.
어떻게 하면 부모님의 걱정을 덜 수 있을지 생각해 보세요.

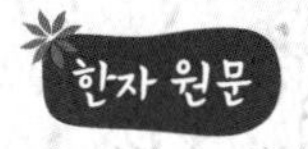

父母在 不遠遊 遊必有方
부 모 재 불 원 유 유 필 유 방

15 하루에 하나씩 함께 써 봐요!

효행편

아버지께서 부르시면 곧바로 대답하고 머뭇거리지 말며, 음식이 입에 있거든 이를 뱉고 달려가라.

예문을 따라 한 자 한 자 예쁘게 써 보세요.

	아	버	지	께	서		부	르	시	면		곧	바	로	
대	답	하	고		머	뭇	거	리	지		말	며	,	음	식
이		입	에		있	거	든		이	를		뱉	고		달
려	가	라	.												

직접 써 보세요.

여러분은 부모님께서 부르실 때 어떻게 하고 있나요? 컴퓨터 하느라 친구와 통화하느라 "이것만 하고요!"라며 부모님을 기다리시게 하고 있지는 않나요?

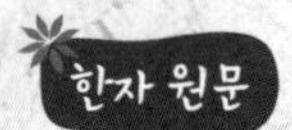

父命召 唯而不諾 食在口則吐之
부 명 소 유 이 불 낙 식 재 구 즉 토 지

16 하루에 하나씩 함께 써 봐요!

정기편

다른 사람의 착한 점을 보고 나의 착한 점을 찾고, 다른 사람의 나쁜 점을 보고 나의 나쁜 점을 찾아라. 그와 같이 하면 유익할 것이다.

예문을 따라 한 자 한 자 예쁘게 써 보세요.

다른 사람의 착한 점을 보고 나의 착한 점을 찾고 다른 사람의 나쁜 점을 보고 나의 나쁜 점을 찾아라. 그와 같이 하면 유익할 것이다.

직접 써 보세요.

착한 사람도, 나쁜 사람도 모두 여러분의 스승이 될 수 있습니다.
다른 친구의 행동을 거울삼아 좋은 점은 배우고 나쁜 점은 고쳐 보세요.

見人之善 而尋其之善 見人之惡 而尋其之惡 如此方是有益
견인지선 이심기지선 견인지악 이심기지악 여차방시유익

17 하루에 하나씩 함께 써 봐요!

월 일

정기편

자기가 귀하다고 다른 사람을 천하게 여기지 마라. 자기가 크다 하여 작은 사람을 우습게 보지 마라. 자신의 용맹을 믿고서 적을 가벼이 여기지 마라.

예문을 따라 한 자 한 자 예쁘게 써 보세요.

	자	기	가		귀	하	다	고		다	른		사	람	을
천	하	게		여	기	지		마	라	.	자	기	가		크
다		하	여		작	은		사	람	을		우	습	게	
보	지		마	라	.	자	신	의		용	맹	을		믿	고
서		적	을		가	벼	이		여	기	지		마	라	.

직접 써 보세요.

지혜로운 사람은 높은 지위에 올라가도 겸손하고, 지식이 많아도 잘난 척하지 않습니다.
나보다 공부를 못한다고, 덩치가 작다고 친구를 무시하면 안 되겠지요?

한자 원문 勿以貴己而賤人 勿以自大而蔑小 勿以恃勇而輕敵
물 이 귀 기 이 천 인 물 이 자 대 이 멸 소 물 이 시 용 이 경 적

정기편

나에게 늘 잘한다고 칭찬하는 사람은 나의 적이요, 나의 잘못을 지적해 주는 사람은 나의 스승이다.

 예문을 따라 한 자 한 자 예쁘게 써 보세요.

	나	에	게		늘		잘	한	다	고		칭	찬	하	는
사	람	은		나	의		적	이	요	,		나	의		잘	못
을		지	적	해		주	는		사	람	은		나	의	
스	승	이	다	.											

 직접 써 보세요.

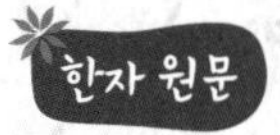

'몸에 좋은 약이 입에 쓰다.'라는 말이 있습니다. 기분이 나쁘더라도 나의 잘못된 행동을 가르쳐 주는 사람의 말을 잘 들으면 어느새 부쩍 큰 자기 모습을 발견하게 된답니다.

한자 원문 道吾善者 是吾賊 道吾惡者 是吾師
도오선자 시오적 도오악자 시오사

19 하루에 하나씩 함께 써 봐요!

월 일

정기편

부지런함은 값을 따질 수 없는 보배이며, 조심성은 몸을 보호하는 부적이다.

예문을 따라 한 자 한 자 예쁘게 써 보세요.

	부	지	런	함	은		값	을		따	질		수		없
는		보	배	이	며	,	조	심	성	은		몸	을		보
호	하	는		부	적	이	다	.							

직접 써 보세요.

개미와 베짱이 이야기를 알고 있지요? 더운 여름에도 부지런히 일하던 개미는 추운 겨울을 따뜻하게 보냈지만 놀기만 하던 베짱이는 어떻게 되었나요?

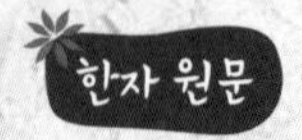

勤爲無價之寶 愼是護身之符
근 위 무 가 지 보 신 시 호 신 지 부

정기편

귀로는 남의 나쁜 점을 듣지 않고, 눈으로는 남의 단점을 보지 않고, 입으로는 남의 허물을 말하지 않아야 군자에 가까운 사람이다.

예문을 따라 한 자 한 자 예쁘게 써 보세요.

	귀	로	는		남	의		나	쁜		점	을		듣	지
않	고	,	눈	으	로	는		남	의		단	점	을		보
지		않	고	,	입	으	로	는		남	의		허	물	을
말	하	지		않	아	야		군	자	에		가	까	운	
사	람	이	다	.											

직접 써 보세요.

여러분도 일부러 친구의 단점을 찾고, 다른 친구에게 그 친구를 흉본 적은 없는지 돌아보세요.

耳不聞人之非 目不視人之短 口不言人之過 庶幾君子
이불문인지비 목불시인지단 구불언인지과 서기군자

21 하루에 하나씩 함께 써 봐요!

만족할 줄 아는 사람은 가난하고 지위가 낮아도 즐겁고, 만족할 줄 모르는 사람은 부유하고 고귀해도 근심스럽다.

예문을 따라 한 자 한 자 예쁘게 써 보세요.

	만	족	할		줄		아	는		사	람	은		가	난
하	고		지	위	가		낮	아	도		즐	겁	고	,	만
족	할		줄		모	르	는		사	람	은		부	유	하
고		고	귀	해	도		근	심	스	럽	다	.			

직접 써 보세요.

가진 것에 만족하고 더 많은 것을 탐내지 않으면 즐거운 마음을 가질 수 있다는 뜻입니다.
지금 여러분이 가진 것 중에 소중한 것이 무엇인지 생각해 보세요.

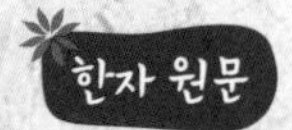

知足者 貧賤亦樂 不知足者 富貴亦憂
지족자 빈천역락 부지족자 부귀역우

22 하루에 하나씩 함께 써 봐요!

안분편

쓸데없는 생각은 오직 정신만 상하게 하고, 허망한 행동은 도리어 재앙을 부른다.

예문을 따라 한 자 한 자 예쁘게 써 보세요.

	쓸	데	없	는		생	각	은		오	직		정	신	만
상	하	게		하	고	,	허	망	한		행	동	은		도
리	어		재	앙	을		부	른	다	.					

직접 써 보세요.

알맞은 정도를 넘어 지나친 생각을 하면 마음만 어지럽게 하고
이치에 맞지 않는 일만 하다 보면 나쁜 일이 일어날 수 있다는 뜻입니다.

濫想 徒傷神 妄動 反致禍
남상 도상신 망동 반치화

23 하루에 하나씩 함께 써 봐요!

월 일

안분편

만족할 줄 알아서 늘 만족하며 사는 사람은 평생 욕된 일을 당하지 않고, 그칠 줄 알아서 늘 적당한 선에서 그치는 사람은 평생 부끄러운 일을 당하지 않는다.

예문을 따라 한 자 한 자 예쁘게 써 보세요.

	만	족	할		줄		알	아	서		늘		만	족	하
며		사	는		사	람	은		평	생		욕	된		일
을		당	하	지		않	고	,	그	칠		줄		알	아
서		늘		적	당	한		선	에	서		그	치	는	
사	람	은		평	생		부	끄	러	운		일	을		당
하	지		않	는	다	.									

직접 써 보세요.

분수는 자기 위치에 맞는 한도를 뜻하는 말입니다. 자기의 분수를 알고 분수를 지키는 사람을 미워하거나 해치려는 사람은 없지요.

知足常足 終身不辱 知止常止 終身無恥
지족상족 종신불욕 지지상지 종신무치

존심편

남을 꾸짖는 마음으로 자기를 꾸짖고, 자기를 용서하는 마음으로 남을 용서한다면 성현의 경지에 이르지 못할까봐 걱정할 필요가 없다.

 예문을 따라 한 자 한 자 예쁘게 써 보세요.

	남	을		꾸	짖	는		마	음	으	로		자	기	를
꾸	짖	고	,	자	기	를		용	서	하	는		마	음	으
로		남	을		용	서	한	다	면		성	현	의		경
지	에		이	르	지		못	할	까	봐		걱	정	할	
필	요	가		없	다	.									

직접 써 보세요.

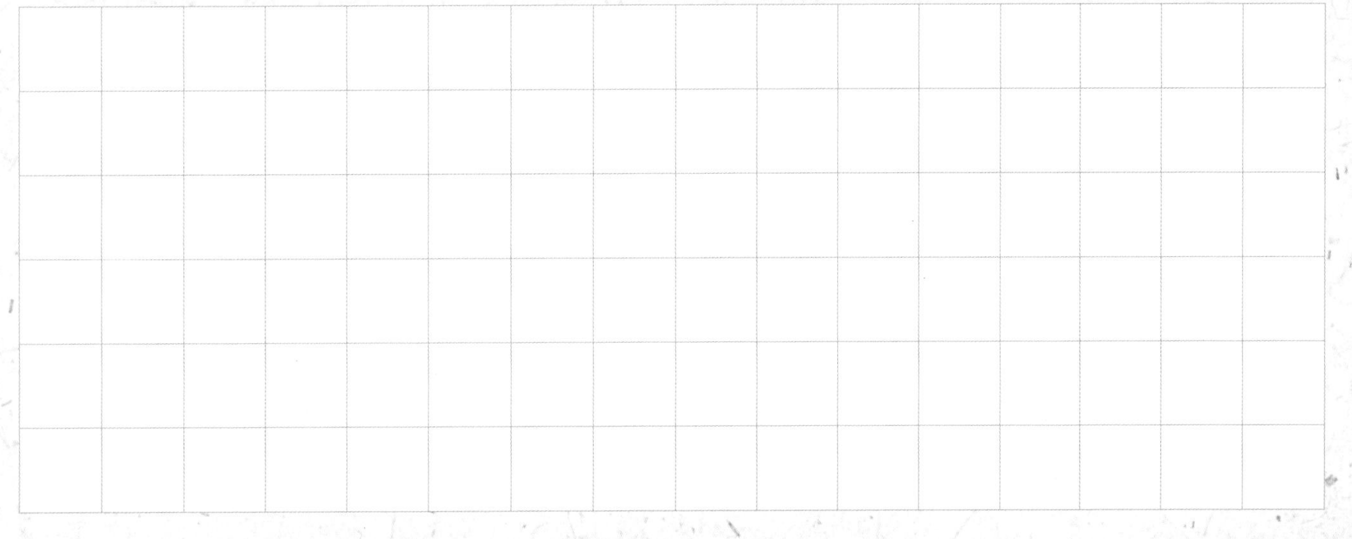

사람은 다른 사람의 잘못은 귀신같이 찾아내면서, 자기 잘못은 쉽게 용서하기도 합니다.
다른 사람에게 너그러워지고 자기에게 엄격한 사람이 되도록 노력해 보세요.

但當以責人之心 責己 恕己之心 恕人 則不患不到聖賢地位也
단 당 이 책 인 지 심 책 기 서 기 지 심 서 인 즉 불 환 부 도 성 현 지 위 야

25 하루에 하나씩 함께 써 봐요!

존심편

조금 베풀고 많은 것을 바라는 사람에게는 보답이 없고, 높은 자리에 오르고 나서 어려웠던 시절을 잊는 사람은 오래가지 못한다.

예문을 따라 한 자 한 자 예쁘게 써 보세요.

직접 써 보세요.

착한 일을 하고도 남들이 알아주기를 바라지 않는 훌륭한 사람들이 많습니다.
여러분도 대가보다는 사랑하는 마음으로 친구를 대해 보세요.

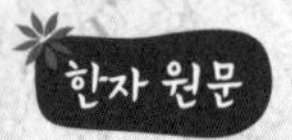

薄施厚望者 不報 貴而忘賤者 不久
박시후망자 불보 귀이망천자 불구

26 하루에 하나씩 함께 써 봐요!

월 일

존심편

담력은 크게 가지더라도 마음가짐은 섬세해야 하며, 지혜는 원만하게 가지더라도 행동은 바르게 해야 한다.

예문을 따라 한 자 한 자 예쁘게 써 보세요.

담력은 크게 가지더라도 마음가짐은 섬세해야 하며, 지혜는 원만하게 가지더라도 행동은 바르게 해야 한다.

직접 써 보세요.

용기가 많은 사람은 자칫 욕심을 부리기 쉬우므로 자신을 적당하게 절제해야 한다는 가르침입니다.

膽欲大而心欲小 知欲圓而行欲方
담 욕 대 이 심 욕 소 지 욕 원 이 행 욕 방

27 하루에 하나씩 함께 써 봐요!

월 일

존심편

아침 일찍 일어나 밤늦게 잠들 때까지 충성과 효도를 생각하는 사람은 다른 사람이 알아주지 않아도 하늘은 반드시 알아줄 것이다.

예문을 따라 한 자 한 자 예쁘게 써 보세요.

	아	침		일	찍		일	어	나		밤	늦	게		잠
들		때	까	지		충	성	과		효	도	를		생	각
하	는		사	람	은		다	른		사	람	이		알	아
주	지		않	아	도		하	늘	은		반	드	시		알
아	줄		것	이	다	.									

직접 써 보세요.

생각해 볼까요?

아무도 없는 교실에 떨어진 쓰레기를 줍고, 먼지 묻은 부모님의 구두를 몰래 닦아 보면 어떨까요? 친구들과 아버지는 몰라도 넓고 넓은 하늘은 여러분이 한 착한 일을 보고 있을 거예요.

한자 원문

夙興夜寐 所思忠孝者 人不知 天必知之
숙흥야매 소사충효자 인부지 천필지지

계성편

물이 한 번 쏟아지면 다시 담을 수 없고, 성품이 한 번 풀어지면 되돌릴 수 없다. 물을 막으려면 반드시 둑을 쌓듯이 성품을 바로 잡으려면 반드시 예법을 지켜야 한다.

 예문을 따라 한 자 한 자 예쁘게 써 보세요.

	물	이		한		번		쏟	아	지	면		다	시	
담	을		수		없	고	,	성	품	이		한		번	
풀	어	지	면		되	돌	릴		수		없	다	.	물	을
막	으	려	면		반	드	시		둑	을		쌓	듯	이	
성	품	을		바	로		잡	으	려	면		반	드	시	
예	법	을		지	켜	야		한	다						

 직접 써 보세요.

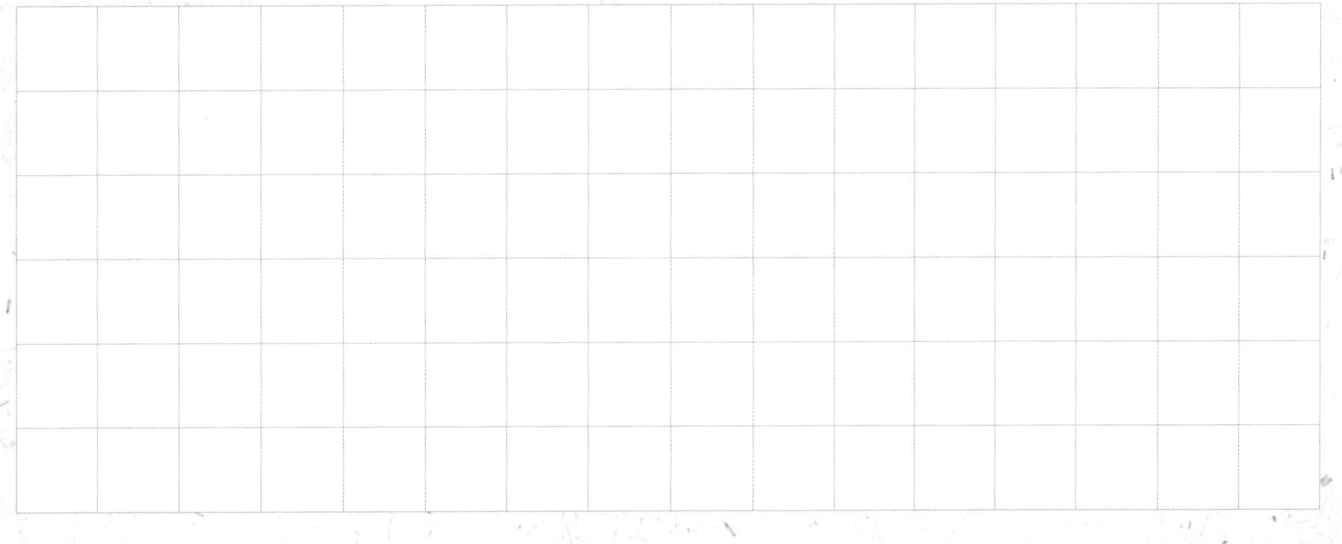

인간의 성품은 주위 환경이나 여건상 잘못된 방향으로 흘러갈 수도 있습니다. 이때 착한 본성이 흔들리면 예의범절로 바로잡으면 된다는 내용입니다.

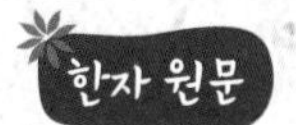

水一傾則不可復 性一縱則不可反 制水者 必以堤防 制性者 必以禮法
수 일 경 즉 불 가 복 성 일 종 즉 불 가 반 제 수 자 필 이 제 방 제 성 자 필 이 예 법

29 하루에 하나씩 함께 써 봐요!

월 일

계성편 한순간의 분노를 참아내면 백 일의 근심을 면할 수 있다. 참지 않고 조심하지 않으면 작은 일이 큰일 된다.

 예문을 따라 한 자 한 자 예쁘게 써 보세요.

	한	순	간	의		분	노	를		참	아	내	면		백
일	의		근	심	을		면	할		수		있	다	.	참
지		않	고		조	심	하	지		않	으	면		작	은
일	이		큰	일		된	다	.							

직접 써 보세요.

화가 날 때에는 화를 꾹 참고 곰곰이 생각해 보세요. 그렇게 하다 보면 화를 낼 때와 내지 않아야 할 때를 구별하는 지혜가 생긴답니다.

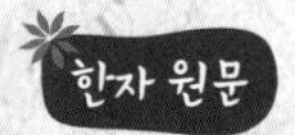

忍一時之忿 免百日之憂 不忍不戒 小事成大
인일시지분 면백일지우 불인불계 소사성대

계성편 자신을 굽힐 줄 아는 사람은 중요한 자리를 맡겨도 능히 처리할 수 있고, 남을 이기기 좋아하는 사람은 반드시 적을 만든다.

예문을 따라 한 자 한 자 예쁘게 써 보세요.

	자	신	을		굽	힐		줄		아	는		사	람	은
중	요	한		자	리	를		맡	겨	도		능	히		처
리	할		수		있	고	,	남	을		이	기	기		좋
아	하	는		사	람	은		반	드	시		적	을		만
든	다	.													

직접 써 보세요.

지혜로운 사람은 언제나 남을 배려하고 겸손하게 행동합니다. 스스로 잘났다고 무조건 다른 사람 위에 군림하려는 것은 어리석은 행동임을 잊지 마세요.

屈己者 能處重 好勝者 必遇敵
굴기자 능처중 호승자 필우적

31

하루에 하나씩 함께 써 봐요!

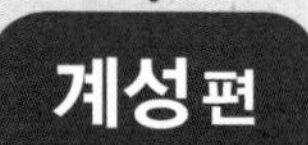

악한 사람이 선한 사람을 꾸짖거든 선한 사람은 대꾸도 하지 마라. 대꾸하지 않는 사람은 마음이 맑고 한가로울 것이지만 꾸짖는 사람의 입은 불붙은 것처럼 뜨겁게 끓을 것이다.

예문을 따라 한 자 한 자 예쁘게 써 보세요.

	악	한		사	람	이		선	한		사	람	을		꾸
짖	거	든		선	한		사	람	은		대	꾸	도		하
지		마	라	.	대	꾸	하	지		않	는		사	람	은
마	음	이		맑	고		한	가	로	울		것	이	지	만
꾸	짖	는		사	람	의		입	은		불	붙	은		것
처	럼		뜨	겁	게		끓	을		것	이	다	.		

직접 써 보세요.

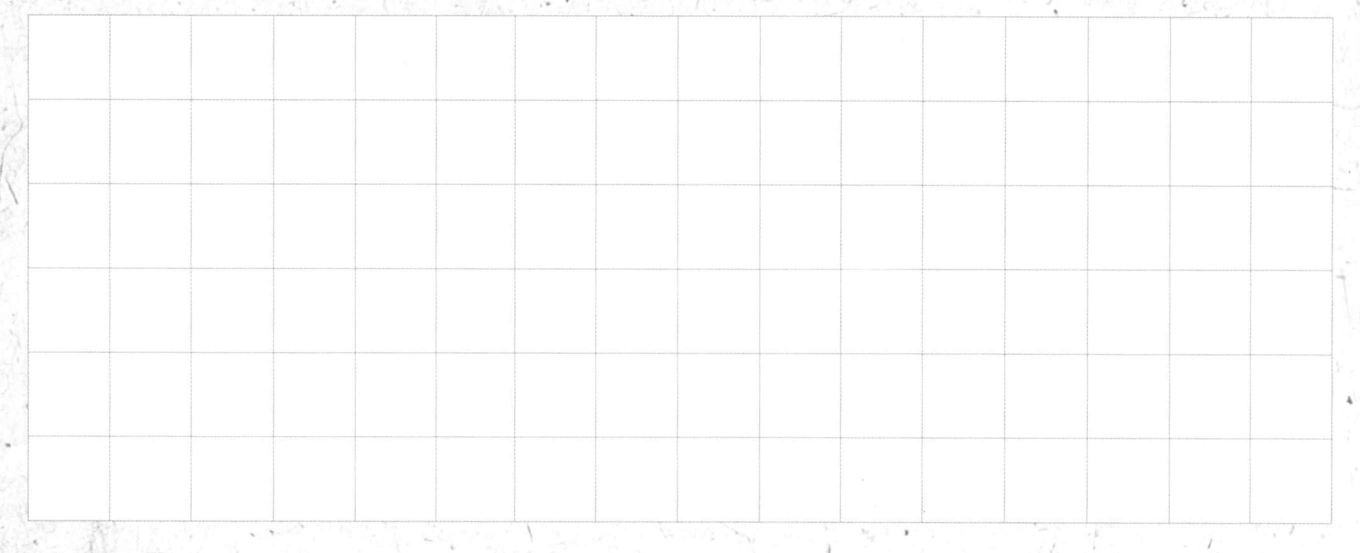

자기가 저지른 잘못은 모르고 다른 사람만 탓하는 친구를 보아도 같이 싸우지 마세요. 계속 화내는 친구는 마음이 부글부글 끓어올라도 여러분의 마음은 편안해질 거예요.

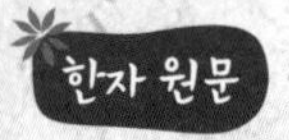

惡人 罵善人 善人 摠不對 不對 心淸閑 罵者 口熱沸
악인 매선인 선인 총부대 부대 심청한 매자 구열비

32 하루에 하나씩 함께 써 봐요!

월 일

근학편

넓게 배우되 뜻을 돈독히 하며, 절실하게 묻고 가까운 데서부터 생각하면 그 속에 어진 마음이 있다.

예문을 따라 한 자 한 자 예쁘게 써 보세요.

넓게 배우되 뜻을 돈독히 하며, 절실하게 묻고 가까운 데서부터 생각하면 그 속에 어진 마음이 있다.

직접 써 보세요.

많이 배우고, 묻고, 생각해야 어떻게 사랑하는 것이 주위 사람을 진짜로 사랑하는 것인지 알 수 있답니다.

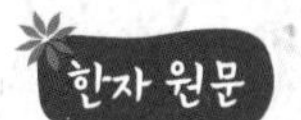

博學而篤志 切問而近思 仁在其中矣
박 학 이 독 지 절 문 이 근 사 인 재 기 중 의

33 하루에 하나씩 함께 써 봐요!

월 일

근학편

옥은 갈아서 다듬지 않으면 그릇이 될 수 없고, 사람은 배우지 않으면 도리를 알지 못한다.

예문을 따라 한 자 한 자 예쁘게 써 보세요.

	옥	은		갈	아	서		다	듬	지		않	으	면	
그	릇	이		될		수		없	고	,	사	람	은		배
우	지		않	으	면		도	리	를		알	지		못	한
다	.														

직접 써 보세요.

아무리 머리가 좋아도 수업 시간에 선생님 말씀을 열심히 듣고 책도 많이 읽어야 지식이 쌓인답니다.

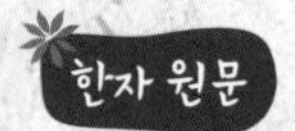

玉不琢 不成器 人不學 不知道
옥 불 탁 불 성 기 인 불 학 부 지 도

근학편

집이 가난해도 가난 때문에 배움을 그만두어서는 안 된다.
집이 부유해도 부유한 것을 믿고 배움을 게을리해서는 안 된다.

예문을 따라 한 자 한 자 예쁘게 써 보세요.

직접 써 보세요.

훌륭한 사람은 자기의 어려운 가정환경을 핑계 삼지 않고 꿋꿋하게 이겨냅니다.
여러분이 알고 있는 위인 중에서 가난을 이기고 성공한 사람은 누가 있나요?

한자 원문 家若貧 不可因貧而廢學 家若富 不可恃富而怠學
가약빈 불가인빈이폐학 가약부 불가시부이태학

월 일

근학편

학문은 늘 실력이 부족한 것같이 열심히 하고, 배운 것을 잊어버릴까 두려워하여 늘 갈고닦아야 한다.

예문을 따라 한 자 한 자 예쁘게 써 보세요.

학문은 늘 실력이 부족한 것같이 열심히 하고, 배운 것을 잊어버릴까 두려워하여 늘 갈고닦아야 한다.

직접 써 보세요.

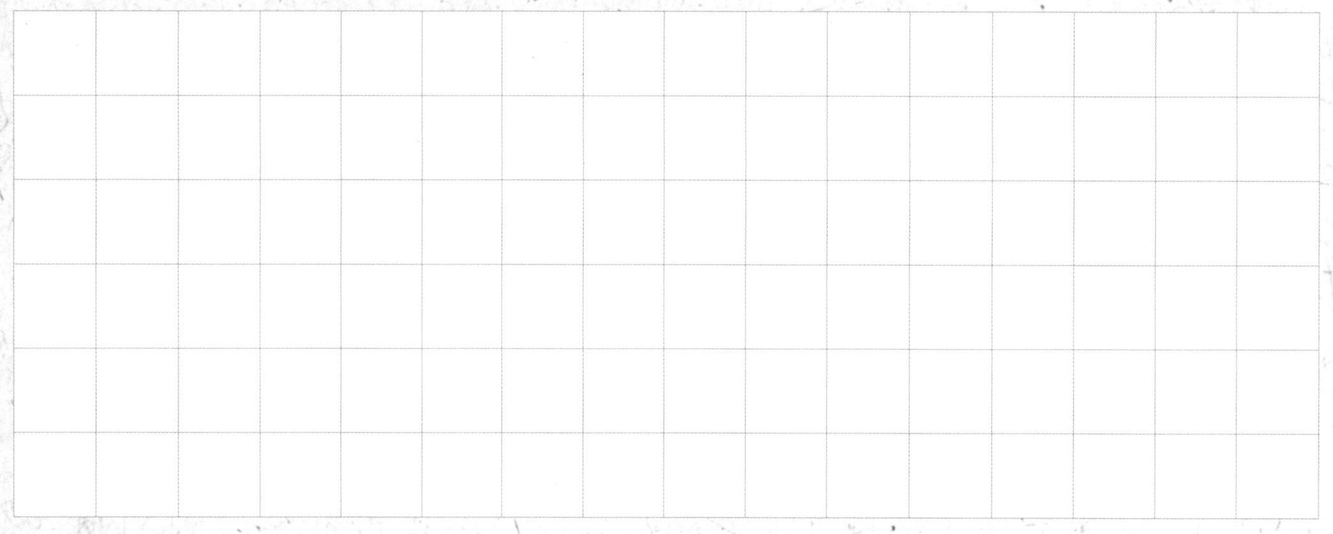

오늘 해야 할 공부가 끝나도 놓친 점은 없는지, 더 알아야 할 점은 없는지 생각해 보세요.
학문은 잠시라도 게을리해서는 안 된답니다.

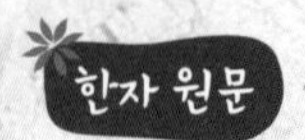

學如不及 猶恐失之
학여불급 유공실지

훈자편

자식에게 황금 한 바구니를 물려주는 것보다 책 한 권을 가르치는 것이 낫고, 천금을 물려주는 것보다 재주 하나를 가르치는 것이 낫다.

예문을 따라 한 자 한 자 예쁘게 써 보세요.

자식에게 황금 한 바구니를 물려주는 것보다 책 한 권을 가르치는 것이 낫고, 천금을 물려주는 것보다 재주 하나를 가르치는 것이 낫다.

직접 써 보세요.

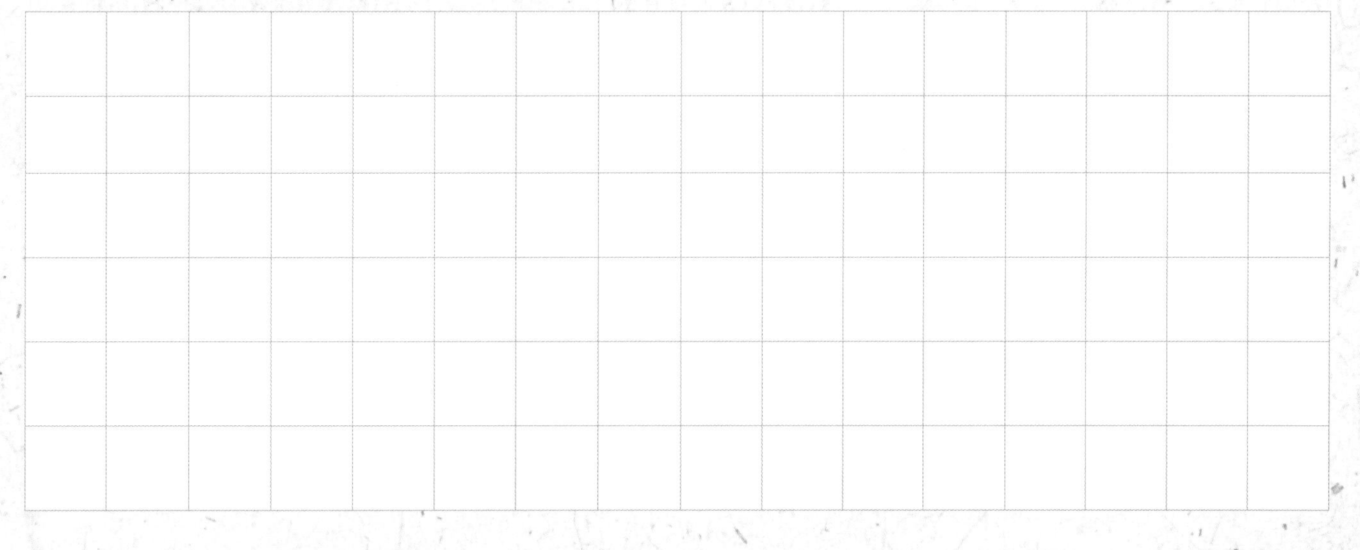

돈보다는 어려움을 만나도 이겨낼 수 있는 지혜를 물려주어야 한다는 말입니다.

黃金滿籯 不如敎子一經 賜子千金 不如敎子一藝
황금만영 불여교자일경 사자천금 불여교자일예

37 하루에 하나씩 함께 써 봐요!

월 일

훈자편

안으로 훌륭한 부모님과 형제가 없고, 밖으로 엄한 선생님과 친구가 없으면서 성공한 사람은 드물다.

예문을 따라 한 자 한 자 예쁘게 써 보세요.

	안	으	로		훌	륭	한		부	모	님	과		형	제
가		없	고	,	밖	으	로		엄	한		선	생	님	과
친	구	가		없	으	면	서		성	공	한		사	람	은
드	물	다	.												

직접 써 보세요.

아무리 뛰어난 사람이라도 올바른 길로 이끌어 줄 부모님, 형제, 선생님, 친구가 없다면 큰 인물이 될 수 없습니다. 나만 옳다고 생각하지 말고 주위 사람들이 하는 말에 귀 기울여 보세요.

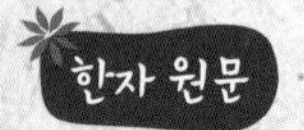

內無賢父兄 外無嚴師友 而能有成者鮮矣
내 무 현 부 형 외 무 엄 사 우 이 능 유 성 자 선 의

훈자편

엄한 아버지는 효자를 길러 내고, 엄한 어머니는 효녀를 길러 낸다. 아이를 사랑하거든 매를 많이 주고, 아이를 미워하거든 먹을 것을 많이 주어라.

예문을 따라 한 자 한 자 예쁘게 써 보세요.

엄한 아버지는 효자를 길러 내고, 엄한 어머니는 효녀를 길러 낸다. 아이를 사랑하거든 매를 많이 주고, 아이를 미워하거든 먹을 것을 많이 주어라.

직접 써 보세요.

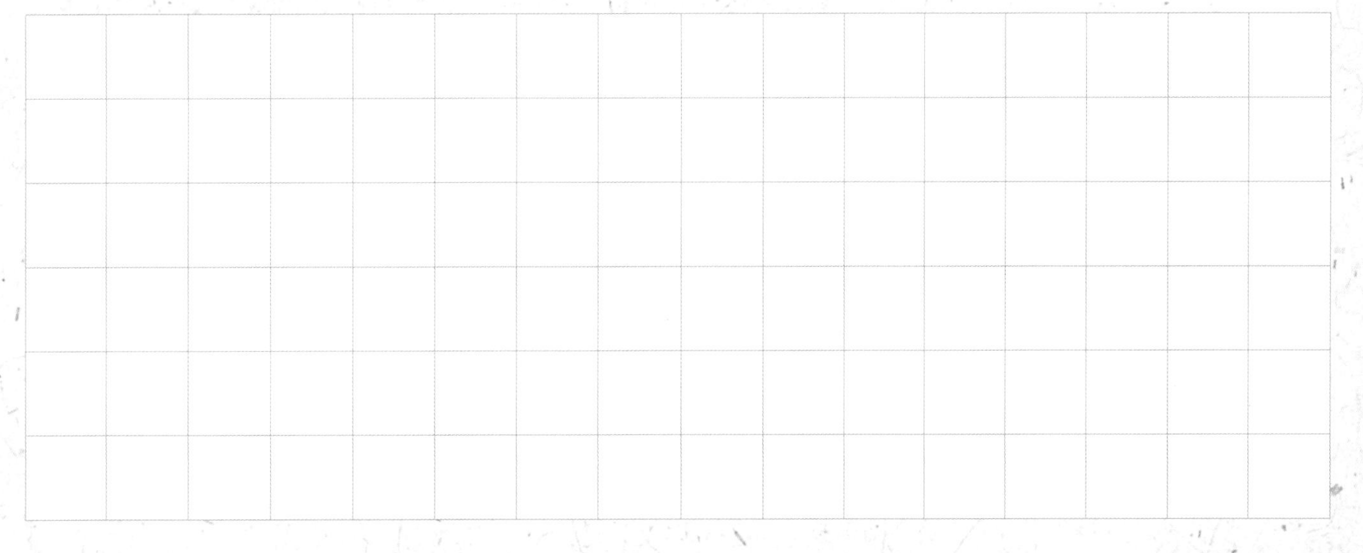

잘못했을 때 부모님께 손바닥을 맞아 아파했던 기억이 있나요?
부모님은 그때 무엇을 주셨던 걸까요?

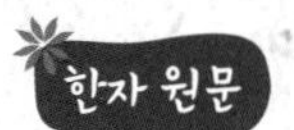

嚴父 出孝子 嚴母 出孝女 憐兒 多與棒 憎兒 多與食
엄부 출효자 엄모 출효녀 연아 다여봉 증아 다여식

39 하루에 하나씩 함께 써 봐요!

월 일

훈자편

세상 사람은 모두 귀한 구슬과 옥을 사랑하지만 나는 자손이 어진 것을 사랑한다.

예문을 따라 한 자 한 자 예쁘게 써 보세요.

	세	상		사	람	은		모	두		귀	한		구	슬
과		옥	을		사	랑	하	지	만		나	는		자	손
이		어	진		것	을		사	랑	한	다	.			

직접 써 보세요.

그림을 잘 그리는 것도 좋고, 운동을 잘하는 것도 좋지만
부모님은 여러분이 지혜롭고 현명한 사람이 되기를 바라신답니다.

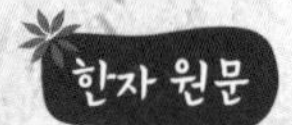

人皆愛珠玉 我愛子孫賢
인 개 애 주 옥 아 애 자 손 현

40

하루에 하나씩 함께 써 봐요!

성심편

사랑이 지나치면 반드시 지출이 심하고, 칭찬받는 게 지나치면 반드시 비방이 따르며, 기뻐함이 지나치면 반드시 심한 근심이 따르고, 뇌물을 지나치게 탐하면 반드시 크게 망한다.

예문을 따라 한 자 한 자 예쁘게 써 보세요.

	사	랑	이		지	나	치	면		반	드	시		지	출
이		심	하	고	,	칭	찬	받	는		게		지	나	치
면		반	드	시		비	방	이		따	르	며	,	기	뻐
함	이		지	나	치	면		반	드	시		심	한		근
심	이		따	르	고	,	뇌	물	을		지	나	치	게	
탐	하	면		반	드	시		크	게		망	한	다		

직접 써 보세요.

무엇이든 정도를 넘어서는 것을 조심해야 한다는 뜻입니다. 그리고 앞으로 무슨 일이 일어날지 모르니 항상 몸가짐과 행동을 조심해야 하지요.

甚愛必甚費 甚譽必甚毁 甚喜必甚憂 甚贓必甚亡
심애필심비 심예필심훼 심희필심우 심장필심망

41 하루에 하나씩 함께 써 봐요!

월 일

성심편

물속 깊이 있는 물고기와 하늘 높이 나는 기러기는 높아도 활로 쏘아 잡고 깊어도 낚을 수 있다. 사람의 마음은 가까이 있어도 가까운 사람의 마음은 알 수 없다.

예문을 따라 한 자 한 자 예쁘게 써 보세요.

	물	속		깊	이		있	는		물	고	기	와		하
늘		높	이		나	는		기	러	기	는		높	아	도
활	로		쏘	아		잡	고		깊	어	도		낚	을	
수		있	다	.	사	람	의		마	음	은		가	까	이
있	어	도		가	까	운		사	람	의		마	음	은	
알		수		없	다	.									

직접 써 보세요.

가장 친한 친구라고 해서 그 친구의 마음을 모두 알 수는 없습니다. 하지만 오랜 시간을 진심으로 사귄다면 친구가 무슨 생각을 하는지 조금씩 눈치챌 수 있을 거예요.

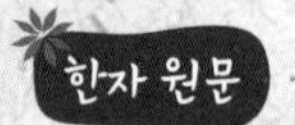

水底魚 天邊雁 高可射兮低可釣 惟有人心咫尺間 咫尺人心不可料
수저어 천변안 고가사혜저가조 유유인심지척간 지척인심불가료

성심편

복이 있을 때 항상 아끼고, 권세가 있을 때 다른 사람에게 공손하라. 사람이 살다 보면 교만과 사치는 시작은 있어도 끝은 없을 때가 많다.

예문을 따라 한 자 한 자 예쁘게 써 보세요.

복이 있을 때 항상 아끼고, 권세가 있을 때 다른 사람에게 공손하라. 사람이 살다 보면 교만과 사치는 시작은 있어도 끝은 없을 때가 많다.

직접 써 보세요.

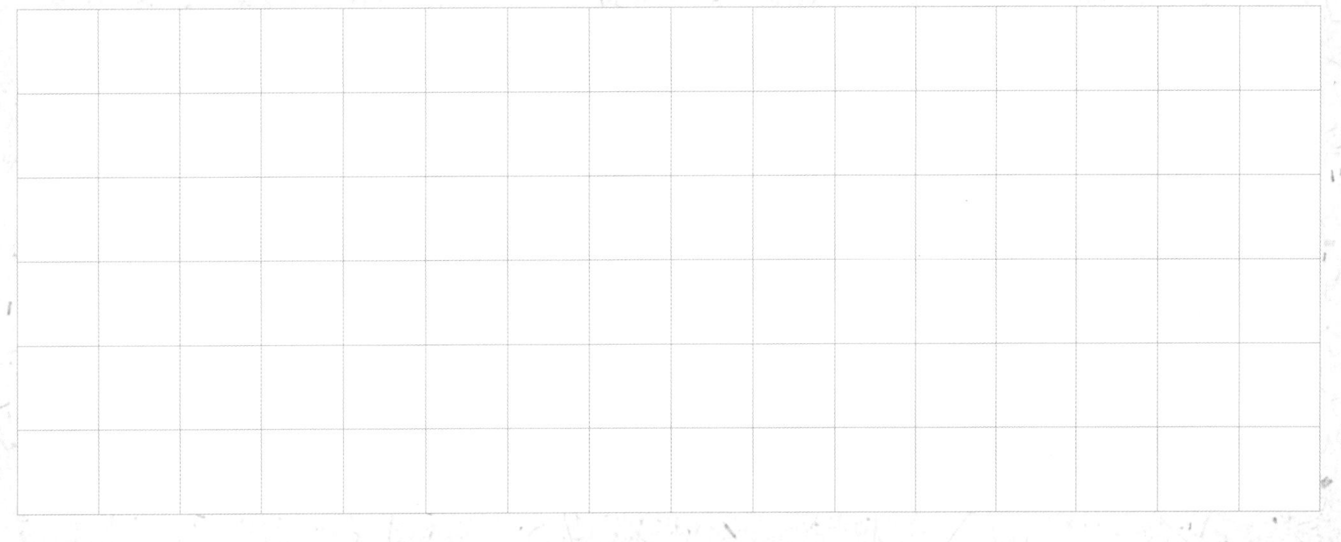

복이 찾아왔을 때는 펑펑 쓰지 말고 아껴야 합니다. 높은 자리에 올라 힘이 셀 때에도 항상 겸손해야 하지요. 그렇지 않으면 복이 떠나고 힘을 잃었을 때 후회하게 될지도 몰라요.

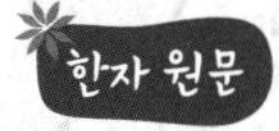

福兮常自惜 勢兮常自恭 人生驕與侈 有始多無終
복혜상자석 세혜상자공 인생교여치 유시다무종

43

하루에 하나씩 함께 써 봐요!

월 일

성심편

선비에게 질투심 많은 친구가 있으면 어진 친구와 사귈 수 없고, 임금에게 질투심 많은 신하가 있으면 어진 신하가 오지 않는다.

예문을 따라 한 자 한 자 예쁘게 써 보세요.

선비에게 질투심 많은 친구가 있으면 어진 친구와 사귈 수 없고, 임금에게 질투심 많은 신하가 있으면 어진 신하가 오지 않는다.

직접 써 보세요.

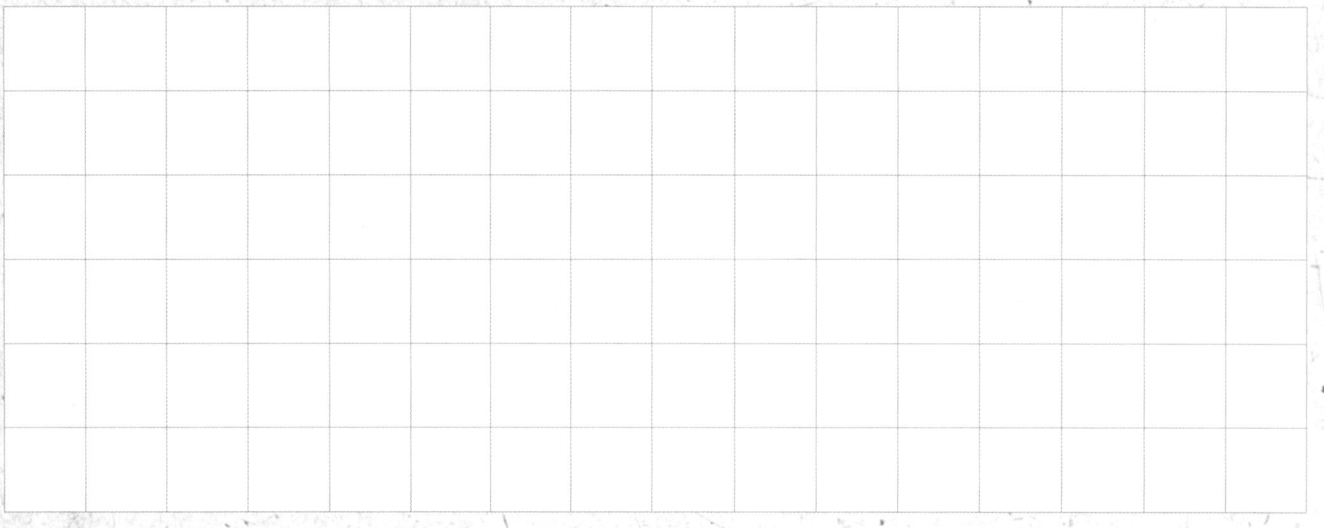

친구를 보면 그 사람을 알 수 있다고 합니다. 질투하는 친구와 사귀고 있는 사람이라면 훌륭한 사람이 그 사람과 사귀려 하지 않겠지요? 여러분에게는 어떤 친구가 있나요?

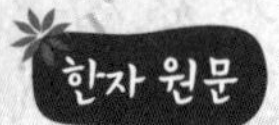

士有妬友 則賢交不親 君有妬臣 則賢人不至
사유투우 즉현교불친 군유투신 즉현인부지

성심편

만물을 접하는 요체는 내가 하기 싫은 일을 남에게 베풀지 않는 것이요, 행하였는데도 원하는 결과를 얻지 못하면 자기에게서 그 원인을 찾는 것이다.

예문을 따라 한 자 한 자 예쁘게 써 보세요.

만물을 접하는 요체는 내가 하기 싫은 일을 남에게 베풀지 않는 것이요, 행하였는데도 원하는 결과를 얻지 못하면 자기에게서 그 원인을 찾는 것이다.

직접 써 보세요.

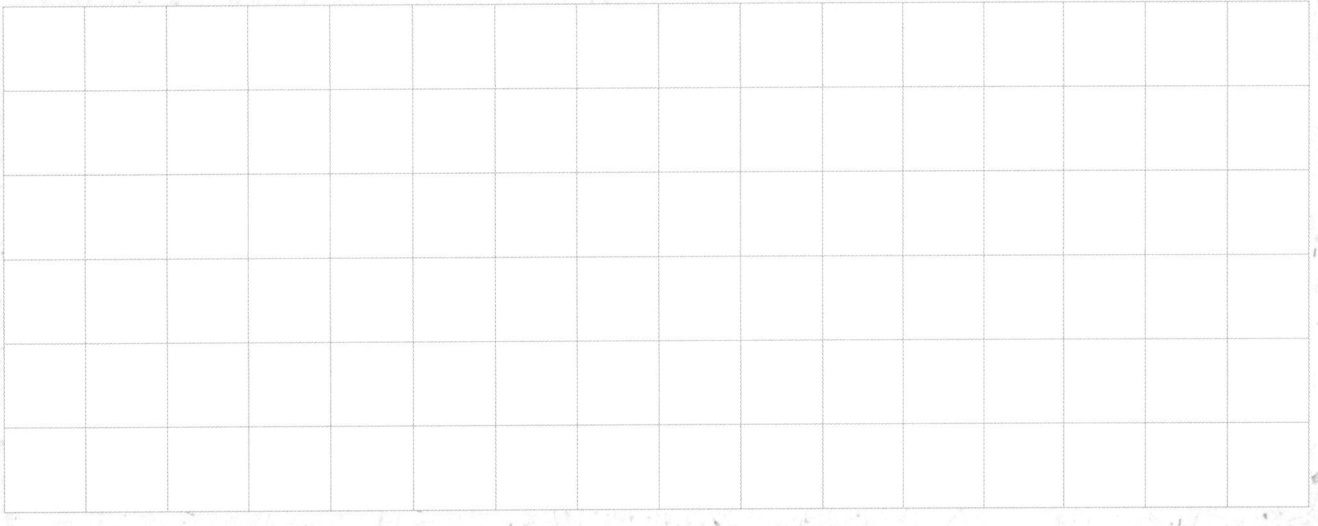

생각해 볼까요?

나도 하고 싶지 않은 일을 남에게 시키거나, 안 좋은 일이 벌어졌을 때 남을 탓하는 것은 옳지 않은 행동입니다. 여러분은 이러한 실수를 하지 마세요!

한자 원문

接物之要 己所不欲 勿施於人 行有不得 反求諸己
접물지요 기소불욕 물시어인 행유부득 반구저기

45 하루에 하나씩 함께 써 봐요!

월 일

입교편

입신에 뜻이 있으니 효도가 그 근본이다. 초상과 제사에 예절이 있으니 슬퍼함이 그 근본이다. 전쟁터에 질서가 있으니 용기가 그 근본이다.

예문을 따라 한 자 한 자 예쁘게 써 보세요.

	입	신	에		뜻	이		있	으	니		효	도	가	
그		근	본	이	다	.	초	상	과		제	사	에		예
절	이		있	으	니		슬	퍼	함	이		그		근	본
이	다	.	전	쟁	터	에		질	서	가		있	으	니	
용	기	가		그		근	본	이	다	.					

직접 써 보세요.

평생 학문을 갈고 닦으며 덕을 쌓은 공자가 남긴 말입니다. 모든 일에는 근본이 있고 어떤 가르침을 실천할 때에는 그 근본이 무엇인지 아는 것도 중요하다는 뜻이지요.

한자 원문 立身有義 而孝爲本 喪祀有禮 而哀爲本 戰陣有列 而勇爲本
입신유의 이효위본 상사유례 이애위본 전진유열 이용위본

46 하루에 하나씩 함께 써 봐요!

입교편

나라를 다스리는 데는 이치가 있으니 농사가 그 근본이다. 나라를 지키는 데는 도리가 있으니 대를 잇는 것이 그 근본이다. 재물을 만드는 데는 때가 있으니 노력이 그 근본이다.

예문을 따라 한 자 한 자 예쁘게 써 보세요.

	나	라	를		다	스	리	는		데	는		이	치	가
있	으	니		농	사	가		그		근	본	이	다	.	나
라	를		지	키	는		데	는		도	리	가		있	으
니		대	를		잇	는		것	이		그		근	본	이
다	.	재	물	을		만	드	는		데	는		때	가	
있	으	니		노	력	이		그		근	본	이	다	.	

직접 써 보세요.

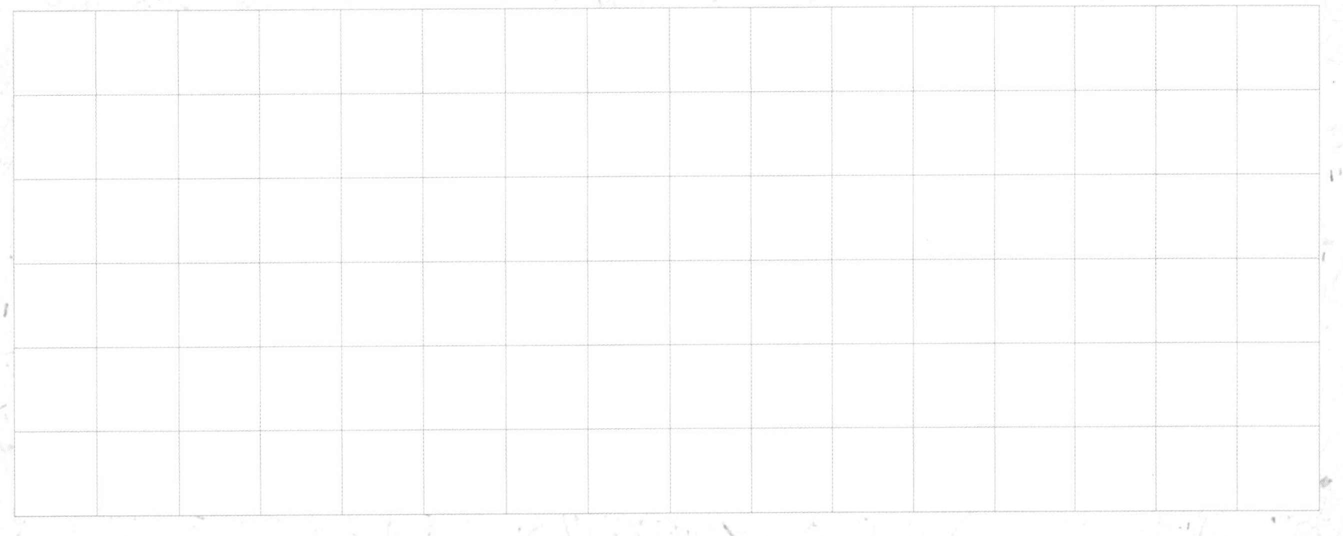

옛날에는 임금이 죽으면 아들인 세자가 임금이 되었지요. 그래서 임금이 죽은 뒤에도 나라가 어지럽지 않으려면 세자가 자리를 굳게 지키고 있어야 했답니다.

治政有理 而農爲本 居國有道 而嗣爲本 生財有時 而力爲本
치정유리 이농위본 거국유도 이사위본 생재유시 이력위본

47 하루에 하나씩 함께 써 봐요!

월 일

입교편

독서는 집안을 일으키는 근본이요, 도리는 집안을 지키는 근본이요, 근검은 집안을 다스리는 근본이요, 온화와 순종은 집안을 가지런히 하는 근본이다.

예문을 따라 한 자 한 자 예쁘게 써 보세요.

	독	서	는		집	안	을		일	으	키	는		근	본
이	요	,	도	리	는		집	안	을		지	키	는		근
본	이	요	,	근	검	은		집	안	을		다	스	리	는
근	본	이	요	,	온	화	와		순	종	은		집	안	을
가	지	런	히		하	는		근	본	이	다	.			

직접 써 보세요.

근검은 부지런하고 검소한 것을 뜻하는 말입니다.
여러분은 어떻게 사랑하는 가족과 집을 지킬지 생각해 보세요.

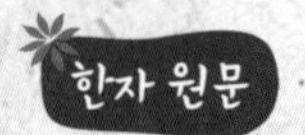

讀書 起家之本 循理 保家之本 勤儉 治家之本 和順 齊家之本
독서 기가지본 순리 보가지본 근검 치가지본 화순 제가지본

입교편

일생의 계획은 어릴 때 세우며, 한 해의 계획은 봄에 세우며, 하루의 계획은 새벽에 세운다. 어릴 때 배우지 않으면 늙어서 아는 것이 없다.

예문을 따라 한 자 한 자 예쁘게 써 보세요.

	일	생	의		계	획	은		어	릴		때		세	우
며	,	한		해	의		계	획	은		봄	에		세	우
며	,	하	루	의		계	획	은		새	벽	에		세	운
다	.	어	릴		때		배	우	지		않	으	면		늙
어	서		아	는		것	이		없	다					

직접 써 보세요.

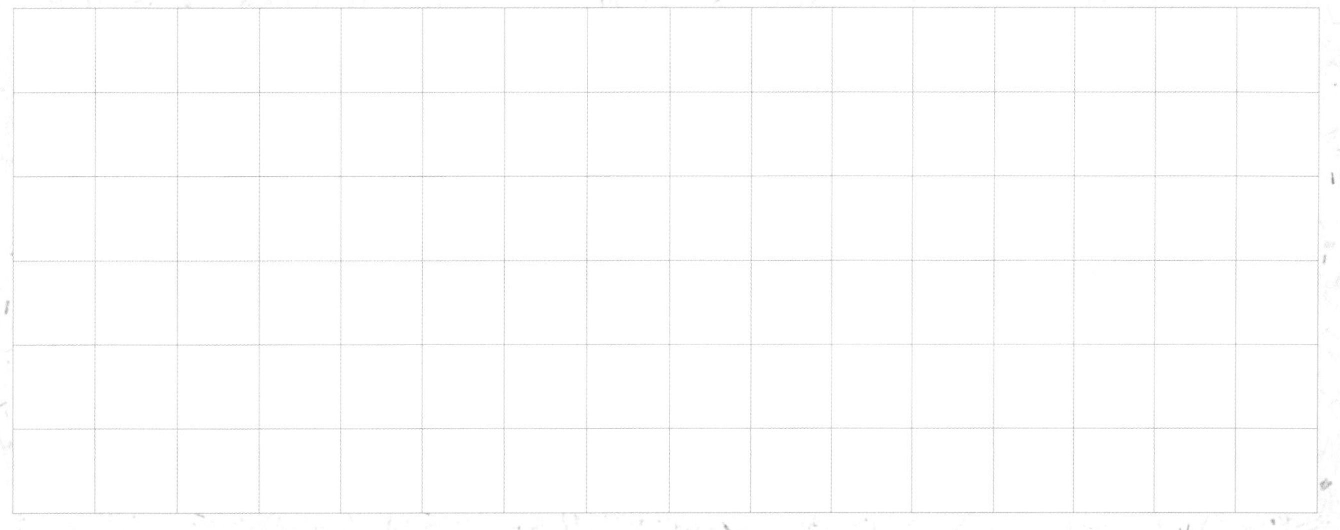

꿈을 이루려면 어릴 때부터 차근차근 계획을 세워서 성실하게 생활해야 합니다. 몸만 크고 머릿속에는 아무것도 없는 부끄러운 어른이 되면 안 되겠지요?

한자 원문 一生之計 在於幼 一年之計 在於春 一日之計 在於寅 幼而不學 老無所知
일생지계 재어유 일년지계 재어춘 일일지계 재어인 유이불학 노무소지

49 하루에 하나씩 함께 써 봐요!

월 일

입교편

부모와 자식 사이에는 친함이 있어야 하고, 임금과 신하 사이에는 의리가 있어야 하며, 어른과 아이 사이에는 순서가 있어야 하고, 친구와 친구 사이에는 믿음이 있어야 한다.

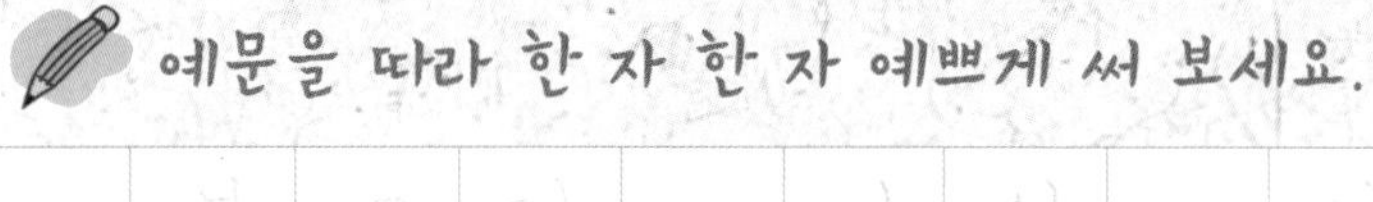

	부	모	와		자	식		사	이	에	는		친	함	이
있	어	야		하	고	,	임	금	과		신	하		사	이
에	는		의	리	가		있	어	야		하	며	,	어	른
과		아	이		사	이	에	는		순	서	가		있	어
야		하	고	,	친	구	와		친	구		사	이	에	는
믿	음	이		있	어	야		한	다	.					

직접 써 보세요.

사람이 지켜야 할 다섯 가지 도리 중 네 가지를 설명하고 있어요. 위에는 포함되지 않은 부부유별夫婦有別은 남편과 아내 사이에는 분별이 있어야 한다는 뜻입니다.

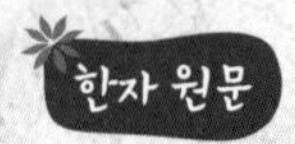

父子有親 君臣有義 長幼有序 朋友有信
부 자 유 친 군 신 유 의 장 유 유 서 붕 우 유 신

50 하루에 하나씩 함께 써 봐요!

치정편

아래에 있는 백성은 학대하기 쉽지만 위에 있는 푸른 하늘은 속이기 어렵다.

예문을 따라 한 자 한 자 예쁘게 써 보세요.

	아	래	에		있	는		백	성	은		학	대	하	기
쉽	지	만		위	에		있	는		푸	른		하	늘	은
속	이	기		어	렵	다	.								

직접 써 보세요.

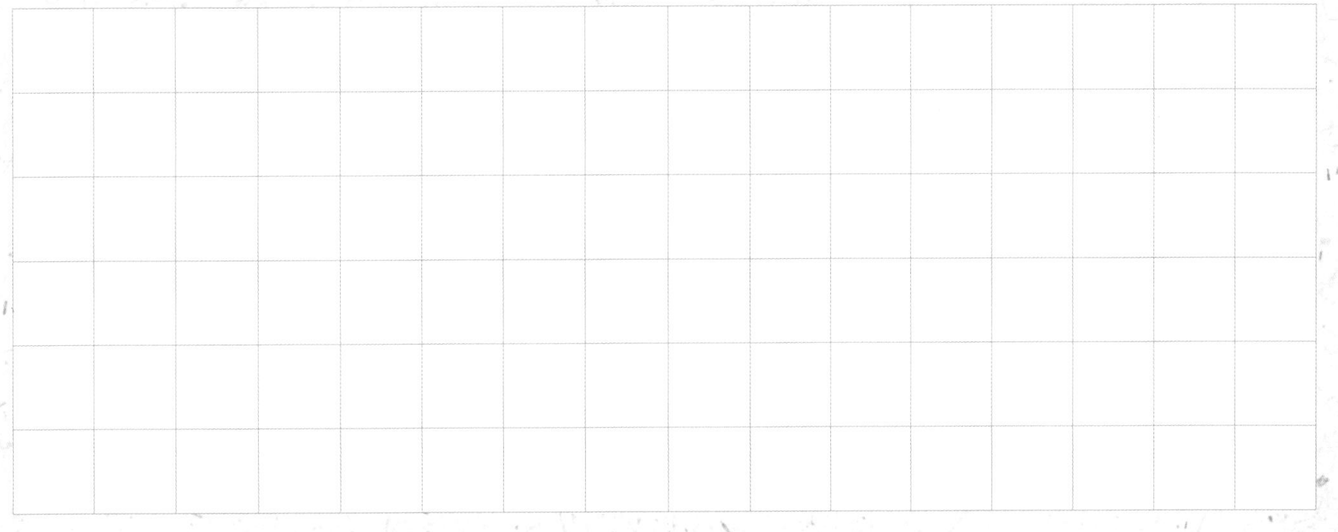

당나라 황제인 당태종이 관리들에게 백성을 위하는 마음을 깨우치려고 한 말입니다.
관리가 백성을 소중하게 생각하지 않고 괴롭히면 나라가 어떻게 될까요?

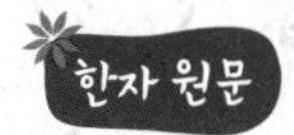

下民 易虐 上蒼 難欺
하 민 이 학 상 창 난 기

51 하루에 하나씩 함께 써 봐요!

월 일

치정편

관직을 맡았을 때에는 지켜야 할 것이 세 가지가 있으니, 청렴과 신중과 근면이다. 이 세 가지를 알면 몸가짐의 방법을 알 수 있다.

 예문을 따라 한 자 한 자 예쁘게 써 보세요.

	관	직	을		맡	았	을		때	에	는		지	켜	야
할		것	이		세		가	지	가		있	으	니	,	청
렴	과		신	중	과		근	면	이	다	.	이		세	
가	지	를		알	면		몸	가	짐	의		방	법	을	
알		수		있	다	.									

직접 써 보세요.

관리가 청렴하지 않으면 백성의 재산을 탐내고, 신중하지 못하면 실수가 잦겠지요. 또 관리가 게으름을 피우면 일이 제대로 처리되지 않으니 나라가 혼란에 빠질 것입니다.

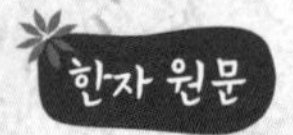

當官之法 唯有三事 曰清 曰愼 曰勤 知此三者 知所以持身矣
당관지법 유유삼사 왈청 왈신 왈근 지차삼자 지소이지신의

52 하루에 하나씩 함께 써 봐요!

월 일

치정편

관직에 있는 사람은 심하게 화내는 것을 경계하라. 일에 옳지 않음이 있을 때에는 찬찬히 살펴서 대처하면 맞지 않는 것이 없을 것이다.

예문을 따라 한 자 한 자 예쁘게 써 보세요.

	관	직	에		있	는		사	람	은		심	하	게	
화	내	는		것	을		경	계	하	라	.	일	에		옳
지		않	음	이		있	을		때	에	는		찬	찬	히
살	펴	서		대	처	하	면		맞	지		않	는		것
이		없	을		것	이	다	.							

직접 써 보세요.

사람이 지나치게 화를 내면 올바른 판단을 할 수 없습니다.
지나친 화는 오히려 자기에게 해로울 뿐이랍니다.

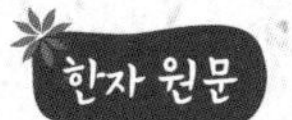

當官者 必以暴怒爲戒 事有不可 當詳處之 必無不中
당관자 필이폭노위계 사유불가 당상처지 필무부중

53 하루에 하나씩 함께 써 봐요!

월 일

치정편

도끼로 맞아 죽더라도 잘못된 것을 바르게 말하고, 솥에 넣어 삶아 죽이려 해도 바른말을 하면 그가 바로 충신이다.

예문을 따라 한 자 한 자 예쁘게 써 보세요.

도끼로 맞아 죽더라도 잘못된
것을 바르게 말하고, 솥에 넣어
삶아 죽이려 해도 바른말을 하
면 그가 바로 충신이다.

직접 써 보세요.

충성스러운 신하는 자기의 이익은 생각하지 않고 임금이 올바른 선택을 하게 돕습니다.
이런 신하가 나라에 많다면 나라의 질서가 바로 잡히겠지요?

한자 원문 逆斧鉞而正諫 據鼎鑊而盡言 此謂忠臣也
영부월이정간 거정확이진언 차위충신야

54

하루에 하나씩 함께 써 봐요!

월 일

치가편

손아랫사람은 큰일이든 작은 일이든 가릴 것 없이 제멋대로 하지 말고 반드시 집안 어른께 여쭤 보고 해야 한다.

예문을 따라 한 자 한 자 예쁘게 써 보세요.

	손	아	랫	사	람	은		큰	일	이	든		작	은	
일	이	든		가	릴		것		없	이		제	멋	대	로
하	지		말	고		반	드	시		집	안		어	른	께
여	쭤		보	고		해	야		한	다	.				

직접 써 보세요.

집안의 질서가 바로 잡혀 있으면 그 집은 화목하고 번창할 수 있습니다.
항상 부모님과 친척 어른을 공경하는 마음을 가져야 합니다.

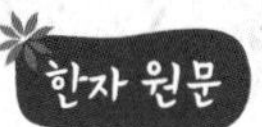

凡諸卑幼 事無大小 毋得專行 必咨稟於家長
범 제 비 유 사 무 대 소 무 득 전 행 필 자 품 어 가 장

55 하루에 하나씩 함께 써 봐요!

월 일

치가편

자식이 효성을 다하면 부모님이 즐겁고, 집안이 화목하면 모든 일이 잘 이루어진다.

예문을 따라 한 자 한 자 예쁘게 써 보세요.

	자	식	이		효	성	을		다	하	면		부	모	님
이		즐	겁	고	,	집	안	이		화	목	하	면		모
든		일	이		잘		이	루	어	진	다	.			

직접 써 보세요.

부모님은 자식이 효도할 때 매우 즐거워하신다는 거 알지요?
오늘 여러분은 어떤 일로 부모님을 웃게 했는지 생각해 보세요.

한자 원문 子孝雙親樂 家和萬事成
자 효 쌍 친 락 가 화 만 사 성

안의편

형제는 손발과 같고 부부는 옷과 같다. 옷이 떨어지면 다시 새것을 얻을 수 있으나 손과 발이 떨어지면 다시 잇기 어렵다.

 예문을 따라 한 자 한 자 예쁘게 써 보세요.

형제는 손발과 같고 부부는 옷과 같다. 옷이 떨어지면 다시 새것을 얻을 수 있으나 손과 발이 떨어지면 다시 잇기 어렵다.

 직접 써 보세요.

누나, 언니, 형, 오빠, 동생은 모두 부모님께서 주신 소중한 사람입니다. 미울 때도 있지만 어려운 일이 생기면 가장 먼저 생각나지요.

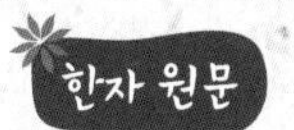

兄弟爲手足 夫婦爲衣服 衣服破時 更得新 手足斷處 難可續
형제위수족 부부위의복 의복파시 갱득신 수족단처 난가속

57 하루에 하나씩 함께 써 봐요!

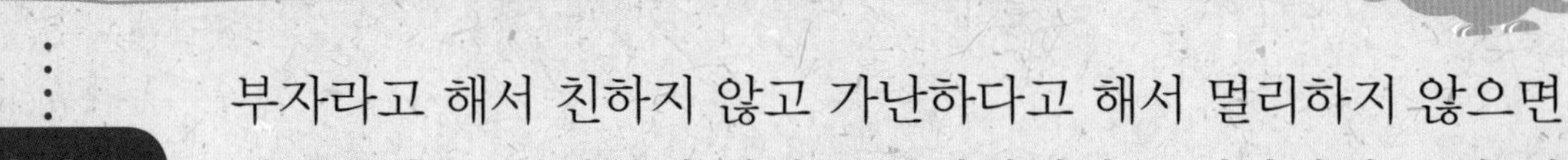

안의편

부자라고 해서 친하지 않고 가난하다고 해서 멀리하지 않으면 대장부이고, 부자라서 찾아오고 가난하다고 떠나가면 그가 진짜 소인배다.

예문을 따라 한 자 한 자 예쁘게 써 보세요.

	부	자	라	고		해	서		친	하	지		않	고	
가	난	하	다	고		해	서		멀	리	하	지		않	으
면		대	장	부	이	고	,	부	자	라	서		찾	아	오
고		가	난	하	다	고		떠	나	가	면		그	가	
진	짜		소	인	배	다	.								

직접 써 보세요.

생각해 볼까요?

사람을 사귈 때 올바른 태도를 가르쳐 주는 말입니다. 친구가 돈이 많다고 무조건 친해지려 하고 친구가 공부를 못한다고 무조건 멀리하는 것은 올바른 행동이 아니에요.

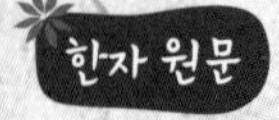

富不親兮貧不疎 此是人間大丈夫 富則進兮貧則退 此是人間眞小輩
부불친혜빈불소 차시인간대장부 부즉진혜빈즉퇴 차시인간진소배

준례편

가정에 예의가 있으니 어른과 어린아이의 분별이 있고, 집안 간에 예의가 있으니 삼족이 화목하다.

예문을 따라 한 자 한 자 예쁘게 써 보세요.

직접 써 보세요.

삼족이란 일가친척을 셋으로 나누어 아버지 쪽, 어머니 쪽, 아내 쪽의 친척을 말합니다.
한 가정과 집안에 예의가 있으면 질서가 잡혀서 서로 싸울 일이 없겠지요?

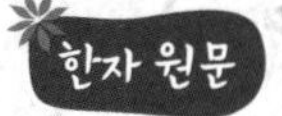

居家有禮故 長幼辨 閨門有禮故 三族和
거 가 유 례 고 장 유 변 규 문 유 례 고 삼 족 화

59 하루에 하나씩 함께 써 봐요!

월 일

준례편

군자가 용맹한데 예의가 없으면 세상을 어지럽게 하고, 소인이 용맹한데 예의가 없으면 도둑이 된다.

예문을 따라 한 자 한 자 예쁘게 써 보세요.

군자가 용맹한데 예의가 없으면 세상을 어지럽게 하고, 소인이 용맹한데 예의가 없으면 도둑이 된다.

직접 써 보세요.

예의는 사람이 세상을 살아갈 때 지켜야 할 예절과 의리입니다. 아무리 용감하더라도 자기가 지켜야 할 것이 무엇인지 모르면 큰 뜻을 이루지 못하지요.

한자 원문 君子有勇而無禮 爲亂 小人有勇而無禮 爲盜
군자유용이무례 위란 소인유용이무례 위도

월 일

준례편

남이 나를 중요하게 생각하기를 바라거든 내가 먼저 남을 중요하게 생각해야 한다.

 예문을 따라 한 자 한 자 예쁘게 써 보세요.

남이 나를 중요하게 생각하기를 바라거든 내가 먼저 남을 중요하게 생각해야 한다.

 직접 써 보세요.

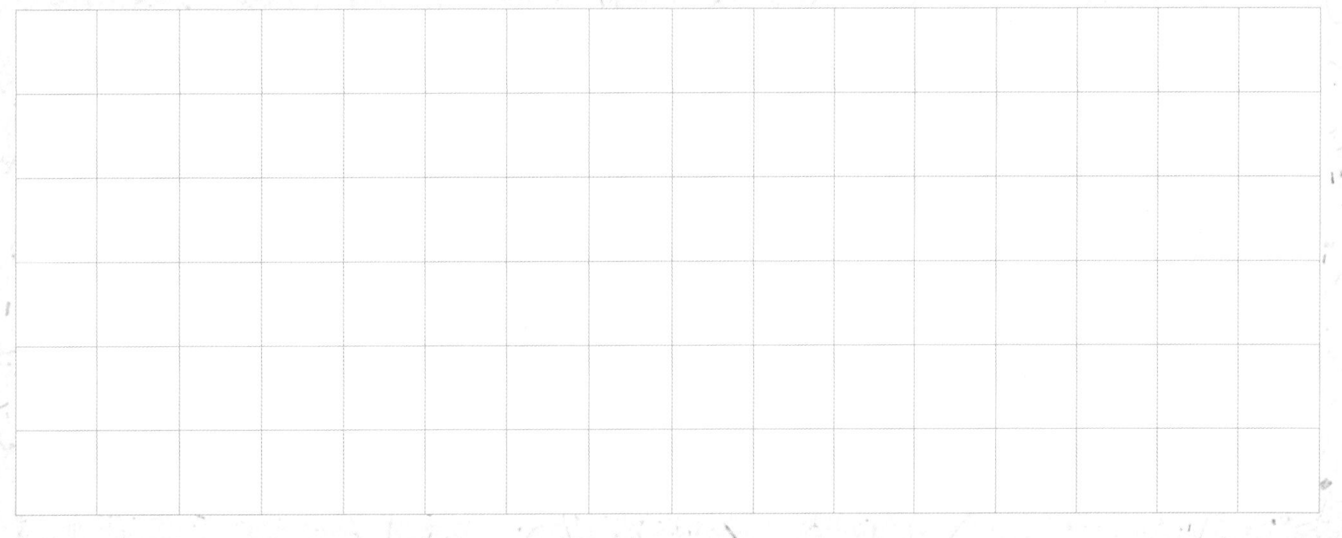

내가 하는 행동은 생각하지도 않고 다른 사람이 무조건 나에게 잘하기를 바라면 안 됩니다. 친구의 행동에 화가 난다면 먼저 내가 친구에게 어떻게 하는지 생각해 보세요.

若要人重我 無過我重人
약요인중아 무과아중인

61 하루에 하나씩 함께 써 봐요!

월 일

언어편

사람을 이롭게 하는 말은 솜옷처럼 따뜻하고, 사람을 해치는 말은 가시처럼 날카롭다. 이로운 말 한마디는 천금처럼 무겁고, 사람을 다치게 하는 말 한마디는 칼로 베는 것처럼 아프다.

예문을 따라 한 자 한 자 예쁘게 써 보세요.

	사	람	을		이	롭	게		하	는		말	은		솜
옷	처	럼		따	뜻	하	고	,	사	람	을		해	치	는
말	은		가	시	처	럼		날	카	롭	다	.	이	로	운
말		한	마	디	는		천	금	처	럼		무	겁	고	,
사	람	을		다	치	게		하	는		말		한	마	디
는		칼	로		베	는		것	처	럼		아	프	다	.

직접 써 보세요.

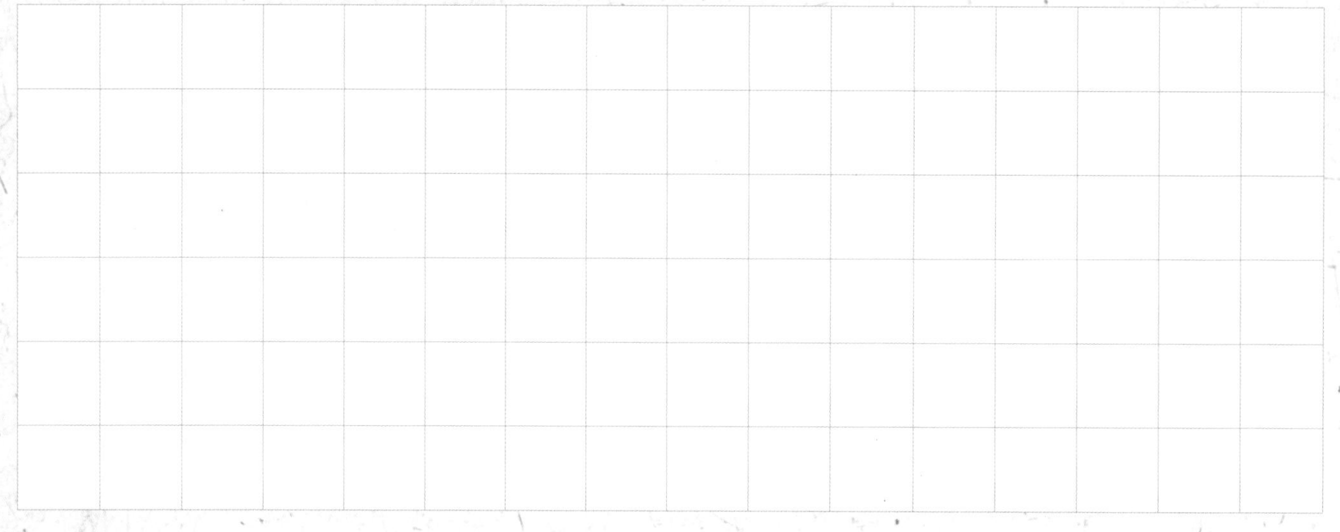

우리가 하는 말은 다른 사람에게 도움을 주어야 하고, 듣는 사람이 어떻게 생각할지 곰곰이 생각하고 나와야 합니다. 말은 칼처럼 무서운 힘을 지니고 있답니다.

한자 원문 利人之言 煖如綿絮 傷人之語 利如荊棘 一言半句 重値千金 一語傷人 痛如刀割

이인지언 난여면서 상인지어 이여형극 일언반구 중치천금 일어상인 통여도할

언어편

입은 사람을 다치게 하는 도끼요, 말은 혀를 베는 칼이다. 입을 닫고 혀를 깊이 감추면 몸이 어느 곳에 있어도 편안하다.

 예문을 따라 한 자 한 자 예쁘게 써 보세요.

	입	은		사	람	을		다	치	게		하	는		도
끼	요	,	말	은		혀	를		베	는		칼	이	다	.
입	을		닫	고		혀	를		깊	이		감	추	면	
몸	이		어	느		곳	에		있	어	도		편	안	하
다	.														

 직접 써 보세요.

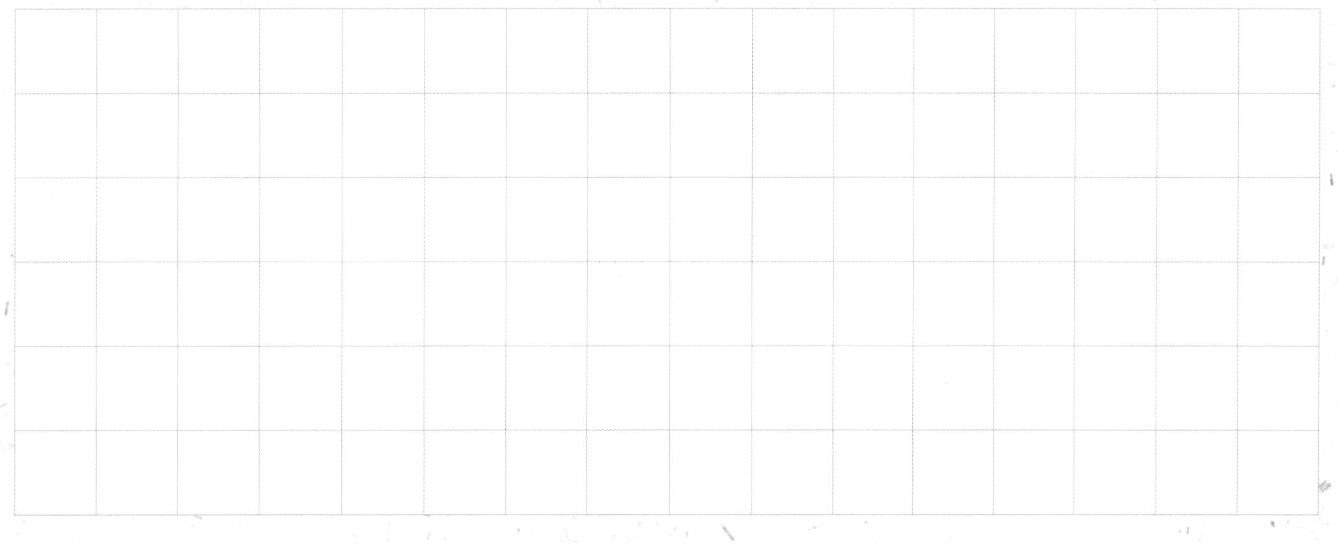

'웅변은 은이지만 침묵은 금이다.'라는 말이 있습니다. 다른 사람에게 상처 주는 말을 하려면 차라리 입을 닫는 것이 좋을 때도 있지요.

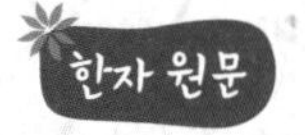

口是傷人斧 言是割舌刀 閉口深藏舌 安身處處牢
구시상인부 언시할설도 폐구심장설 안신처처뢰

63

하루에 하나씩 함께 써 봐요!

월 일

교우편

학문을 좋아하는 사람과 있으면 안갯속을 걷는 것 같이 옷은 젖지 않아도 물기가 배어든다.

예문을 따라 한 자 한 자 예쁘게 써 보세요.

	학	문	을		좋	아	하	는		사	람	과		있	으
면		안	갯	속	을		걷	는		것		같	이		옷
은		젖	지		않	아	도		물	기	가		배	어	든
다	.														

직접 써 보세요.

배움을 좋아하는 친구 옆에 있으면 나도 모르는 사이에 지식이 쌓입니다.
여러분 주위에는 놀기보다는 책 읽기를 좋아하는 친구가 있나요?

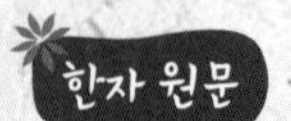

與好學人同行 如霧露中行 雖不濕衣 時時有潤
여호학인동행 여무로중행 수불습의 시시유윤

교우편

서로 얼굴을 아는 사람은 세상에 가득해도 마음을 알아주는 사람은 몇 명인가? 밥 먹을 때는 형제 같은 친구가 천 명이더니, 급하고 어려울 때는 도와줄 친구 한 명이 없다.

예문을 따라 한 자 한 자 예쁘게 써 보세요.

	서	로		얼	굴	을		아	는		사	람	은		세
상	에		가	득	해	도		마	음	을		알	아	주	는
사	람	은		몇		명	인	가	?		밥		먹	을	
때	는		형	제		같	은		친	구	가		천		명
이	더	니	,	급	하	고		어	려	울		때	는		도
와	줄		친	구		한		명	이		없	다	.		

직접 써 보세요.

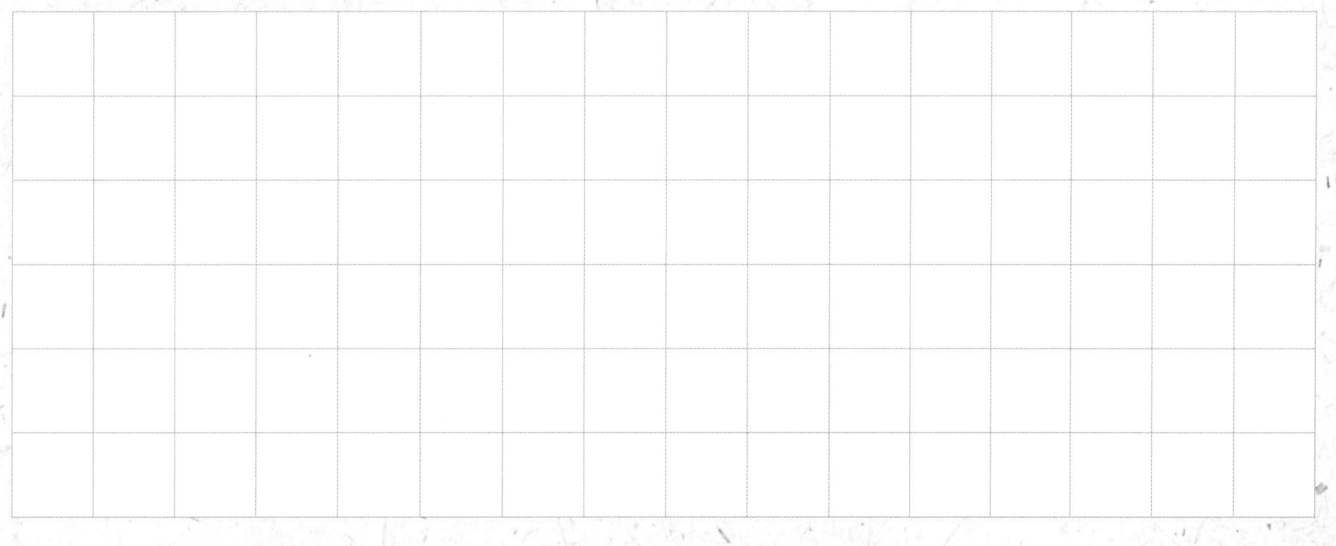

힘들 때 믿고 의지할 수 있는 친구가 있으면 용기가 솟습니다.
소나무처럼 변하지 않는 우정을 나눌 친구를 찾아보세요.

相識滿天下 知心能幾人 酒食兄弟千個有 急難之朋一個無
상식만천하 지심능기인 주식형제천개유 급난지붕일개무

65 하루에 하나씩 함께 써 봐요!

월 일

권학편

젊은 시절은 또 오지 않고, 하루에 새벽은 두 번 오지 않는다. 해야 할 때 열심히 학문에 힘써라. 세월은 사람을 기다려 주지 않는다.

예문을 따라 한 자 한 자 예쁘게 써 보세요.

	젊	은		시	절	은		또		오	지		않	고	,
하	루	에		새	벽	은		두		번		오	지		않
는	다	.	해	야		할		때		열	심	히		학	문
에		힘	써	라	.	세	월	은		사	람	을		기	다
려		주	지		않	는	다	.							

직접 써 보세요.

어떤 일이든지 해야 할 때가 있다는 말을 들어 보았지요? 지금 게으름을 피우면 나중에 공부하고 싶어도 할 수가 없어서 후회할지 몰라요.

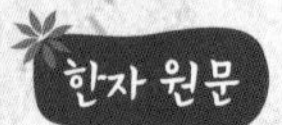

盛年 不重來 一日 難再晨 及時當勉勵 歲月不待人
성년 부중래 일일 난재신 급시당면려 세월부대인

권학편

한 걸음씩 꾸준히 내딛지 않으면 천 리를 갈 수 없고, 적은 물도 모이지 않으면 강을 이룰 수 없다.

예문을 따라 한 자 한 자 예쁘게 써 보세요.

	한		걸	음	씩		꾸	준	히		내	딛	지		않
으	면		천		리	를		갈		수		없	고	,	적
은		물	도		모	이	지		않	으	면		강	을	
이	룰		수		없	다	.								

직접 써 보세요.

무엇이든 포기하지 않고 꾸준하게 하는 것이 중요하다는 말입니다.
여러분이 매일매일 잊지 않고 해야 하는 일은 무엇이 있을까요?

不積蹞步 無以至千里 不積小流 無以成江河
부적규보 무이지천리 부적소류 무이성강하

- HRS 학습센터는 어린이가 손으로(HAND), 반복해서(REPEAT), 스스로(SELF) 하는 학습법을 계발하고 연구하기 위해 모인 출판기획모임입니다.
- 이 책에 나오는《명심보감》의 글귀는 원문의 참뜻을 잘 이해할 수 있도록 초등학생의 눈높이에 맞게 적절히 손보았음을 밝혀 둡니다.

어린이를 위한
명심보감 따라쓰기

기획·엮음 HRS 학습센터

1판 1쇄 발행 2013년 1월 21일
1판 15쇄 발행 2023년 2월 25일

발행처 루돌프
발행인 신은영

등록번호 제2012-000136호
등록일자 2008년 5월 19일

주소 경기도 고양시 일산동구 위시티1로7, 507-303
전화 (070)8224-5900 팩스 (031)8010-1066

값은 표지에 있습니다.
ISBN 978-89-962766-7-8 63710

블로그 blog.naver.com/coolsey2
포스트 post.naver.com/coolsey2
이메일 coolsey2@naver.com

루돌프는 옥당북스의 아동출판브랜드입니다.